図解でわかる

14歳から知る 食べ物と人類の 1万年史

JN100622

インフォビジュアル研究所・著

目次

図解でわかる
14歳から知る
食べ物と人類の1万年史

食べ物への欲望とともにあった 人類の文明史1万年

歴史上の大事件も、地球規模の危機も、 「食べること」が発火点だった

私たちに最もおなじみのイタリア料理といえば、パスタ。パスタといえば、トマトソースが一般的。ですから赤く熟したトマトは、イタリア生まれと思いがちです。

しかし、トマトは南米生まれ。16世紀に、現在のメキシコにあったアステカ帝国を滅亡させたエルナン・コルテスによって、スペインに運ばれました。そのトマトがイタリアのパスタと出合うためには、このときから200年の年月が必要でした。

一方、パスタがトマトと出合うまでには、もっと長い旅が必要でした。人類の文明は、農業を始めたことから生まれます。約1万年前、メソポタミアで小麦栽培が始まり、麦を粉にしてパンを焼く文化が、ユーラシア大陸を東に進み、漢の時代の中国に伝わります。中国にはすでに穀物の粉を麺にする食文化があったため、小麦も麺に生まれ変わりました。その小麦の麺が、今度はシルクロードを西にたどり、ユーラシアの各地に麺料理の足跡を残しながら地中海に達します。そしてついに18世紀末にナポリでトマトソース・パスタが誕生したのです。

このトマトパスタの歴史は、過去から今日まで、人間たちの欲望が生み出した多くの出来事の一部でもあります。麦と麺が交換されたのは、シルクロードを交易する商人の富への欲望の結果です。トマトがイタリアに紹介されたのは、当時のスペイン人の黄金への渇望のおまけでした。

15世紀を境にして、人間の欲望は資本主義というシステムをつくりあげ、歴史を突き動かすようになります。しばしば欲望の発火点となったのは、食べ物でした。

上の図は、人間の食べ物への欲望がもとになって起きた、人類史上の主要な出来事を簡単に表したものです。例えばオリエントの香辛料を求めて始まった大航海時代は、ヨーロッパに新たな味覚、砂糖をもたらします。ヨーロッパの貴族たちは砂糖を求め、

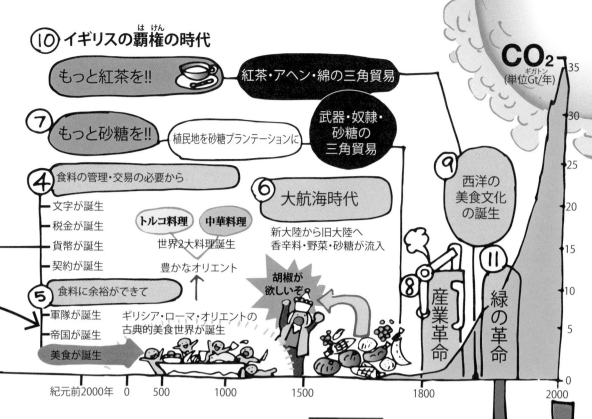

⑩ **イギリスの覇権の時代**

もっと紅茶を!!　紅茶・アヘン・綿の三角貿易

⑦ もっと砂糖を!!　植民地を砂糖プランテーションに　武器・奴隷・砂糖の三角貿易

④ 食料の管理・交易の必要から
- 文字が誕生
- 税金が誕生
- 貨幣が誕生
- 契約が誕生

トルコ料理　中華料理
世界2大料理誕生
豊かなオリエント

⑥ 大航海時代
新大陸から旧大陸へ
香辛料・野菜・砂糖が流入

胡椒が欲しいぞ

⑨ 西洋の美食文化の誕生

CO_2
（単位Gt/年）

⑤ 食料に余裕ができて
- 軍隊が誕生
- 帝国が誕生
- 美食が誕生

ギリシア・ローマ・オリエントの
古典的美食世界が誕生

⑧ 産業革命

⑪ 緑の革命

紀元前2000年　0　500　1000　1500　1800　2000

カリブ諸島で砂糖プランテーション事業を始め、それが黒人奴隷の需要を生み、砂糖と奴隷と武器を交換する、悪名高い三角貿易を生み出しました。

19世紀にはイギリスが産業革命で扉を開け、20世紀にアメリカが中心になって引き継いだ近代工業の波が、人間の食べ物にも及びます。農業生産物もその加工品も、利益追及という欲望によって、工業製品と同じように、安価な大量生産品に姿を変えたのです。その結果、市場には、色鮮やかで、おいしそうな食品が溢れ、私たちの食欲を駆り立てています。人間はかつてない美食の時代を迎えています。しかし同時に、この美食の時代をつくった産業が、地球規模の問題を引き起こしていることを私たちは知っています。そこで、本書ではまず食べ物とその欲望の歴史をたどることから始めてみましょう。そのなかに、きっと現在の問題を理解する鍵があるはずです。

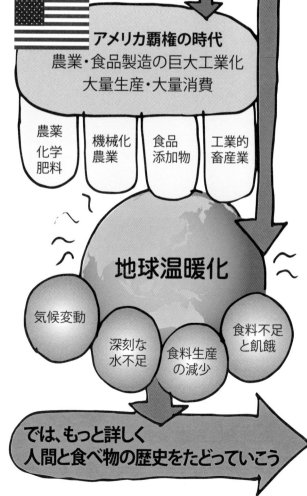

アメリカ覇権の時代
農業・食品製造の巨大工業化
大量生産・大量消費

農薬化学肥料　機械化農業　食品添加物　工業的畜産業

地球温暖化

気候変動　深刻な水不足　食料生産の減少　食料不足と飢餓

では、もっと詳しく
人間と食べ物の歴史をたどっていこう

5

Part 1
イエティ君とたどる
人と食の歴史紀行 ①

僕はイエティ、この物語の案内役だよ。
ここは僕たちの村、ここから、僕たち
人間の食べ物の歴史をたどってみよう

氷河期が終わって、地球が暖か
くなった頃、人間たちは集団で
自然の豊かな場所に移住した

人類は20万年間
狩猟採集によって
多彩な食を得てきた

森の中の獲物たち
クマ、シカ、イノシシ、イタチ、ウサギ、オオカミ、タヌキ、
アナグマ、テン、ムササビ、モグラ、野鳥などを捕らえた

みんな
楽しそう

狩りは共同で
狩りは男たち総出
で。おのおのの役
割分担し、狩りに
は犬も参加した

川では簡単な堰を
つくり追い込み罠
漁も

年間を通じて海産物も豊富
小舟からの突き漁、骨製の針での釣りも。淡水
のフナ、コイ、ナマズ、ウナギ、海水のサケ、マス、
イワシ、タイなど。海藻類も食卓に

道具と火が人類の食を変えた

　地球上に最初の人類が誕生したのは、約
700万年前。弱肉強食の動物界で、人類は
もともと弱い生き物でした。草食中心で、
肉を食べることがあっても、自分で狩りを
するのではなく、ほかの動物がしとめた獲
物の食べ残しをあさっていたようです。

　やがて人類は、道具と火を使うことを覚
えて弱さを補い、進化していきます。道具
を使って狩りをしたり、固い実をすりつぶ

したりする。火を起こして肉を焼き、食べ
やすいように軟らかくする。これが料理の
始まりでした。料理は、人類だけが獲得し
た知恵であり、おいしい料理を食べたいと
いう欲求が、人類を高度に進化させたと
いっても過言ではありません。

恵み豊かだった縄文時代

　最初の人類誕生以来、いく種も現れた人
類の仲間たちのうち、最後に生き残ったの
は、私たちホモ・サピエンスの祖先でした。

穀類の野生種から ⟹ 長い選別の時をへて栽培種へ

野生の麦の種子が風で飛び　群生した　その種子を煮て食べてみた　村に麦を持ち帰るとき種子がパラパラ落ちた　種子が穂から落ちない麦だけが残る　その麦を植えたたくさんとれた

この半定住の集落は、ゆっくりと農耕社会へと移行していった

どう、豊かな食料でしょう

定住地の周辺には木製の道具の材料となる森が
コナラ、クヌギ、カシ、ケヤキ、カヤの木々が

住居の周辺には、実をつける木々が
ドングリ、クリ、トチノキ、クルミ、その下には秋には多彩なキノコが。ミツバチの巣もある

茂みに自生する食用植物
ウバユリなどの球根、ノビルの根、ヤマイモなどの根菜、ニワトコの実、野生ツルマメ、そしてヤマブドウなどの多様なベリー類

麻の自生地
自生の麻を利用して、繊維とし衣服をつくっていたことが知られている

海浜に定住すれば、豊富な貝類が
ハマグリ、オキアサリ、オキシジミ、アコヤガイなど20種類以上

冬　春　秋　夏

縄文時代の人々の食料は500種以上もあったと言われる

　ホモ・サピエンスは、約20万年前に地上に現れ、長い間、狩猟採集生活を送っていました。上のイラストは、約1万年前の日本の縄文時代の暮らしを描いたものです。

　1万年前といえば、約7万年前から続いた最終氷期がようやく終わり、地球が暖かくなった頃です。森が生まれ、さまざまな植物が生い茂るようになり、人々は多彩な森の恵みを手に入れるようになりました。温暖化で海面が上昇して浅瀬が広がると、魚や貝もとれるようになりました。

　豊富な食料が得られるようになると、食料を求めて移動しなくてすみ、半定住の暮らしが始まります。植物や木の実やキノコ、シカやイノシシなどの肉、魚や貝類。季節によって、さまざまな食料を調達し、土器を使って調理し、余った食料は土器に入れて保管していました。野生の穀類から種をとって栽培することも、すでにこの頃から始まっていました。現代人が憧れる田舎暮らしの原点ともいえるこの時代は、人類史上最も豊かだったとさえいわれています。

人類は約1万年前から
穀物を栽培し農業を始めた

世界で農耕が始まった地域と、その栽培穀物

小麦
中東の肥沃な三日月地帯（シリア、イラク、パレスチナなど）で、1万年前から、灌漑による栽培が行われた。トルコのギョベックリ・テペ遺跡からは、もっと古い栽培の跡が見つかっている（右ページ下参照）

トウモロコシ
紀元前5000年頃、メキシコ南部のオアハカ渓谷で栽培されたのが最初との説が有力。アステカ文明を支えた穀物

米
米の2つの原種、ジャポニカとインディカの原産地には、インドアッサム・中国雲南説と、長江流域説がある。長江流域では紀元前7000年頃より稲作が始まった

アフリカ米・ヒエなど
赤い色をしたアフリカ産の米は、西アフリカの沿岸地帯と中央アフリカなどで、数千年前から栽培されていたが、発祥地の研究は進んでいない

サトウキビ
サトウキビはニューギニア原産で、栽培種の起源はインド東部のベンガル湾地帯とされる。紀元前1世紀頃には、アーリア人によって栽培された

ジャガイモ
南米ペルーとボリビア国境のチチカカ湖周辺での栽培が最初と考えられている。インカ帝国を支えた基幹作物でもあった

■ 農耕生活によって食料を確保

　人類の歴史には、大きな転期が何度もありましたが、その後の人類に最も大きな影響を与えたのは、農業を始めたことです。

　それは、狩猟採集時代からゆっくりと進行していました。人間は、植物の種をまいて育てることを覚え、住居の近くで栽培を始めます。そのうちに、優秀な種を選んでとり、1カ所にたくさん栽培して、集団で育てるようになります。ここから始まっ

たのが、定住による農耕生活でした。

　約1万年前から小麦の栽培が始まり、米、トウモロコシなどが、それに続きます。食料が安定して得られ、1カ所に定住するようになったことで、女性たちは安心して子どもを産み育てることができるようになりました。そのため人口が増え、集落が大きくなり、やがて都市になり、ついには文明を生み出します。人類は、農業を始めたことで、ほかの動物とはまったく異なる進化を遂げるようになったのです。

農業は人間を本当に幸せにした?

人間が畑の周りに定住したことで起きた、さまざまな問題

狩猟採集なら自由なのにね

陽があるうちは、ずっと畑仕事

定住で子どもがたくさん

→ もっと食料をもっと畑が必要

まるで人は、畑に囚われているようだ

部落間の争いが始まる

争いが増えた

畑を奪い合い

水を奪い合い

人類学者スティーブン・ピンカーは著書『暴力の人類史』で、人類はこの時代、最も暴力的だったと述べている

動物を家畜化し濃厚に接触することで、動物の病気が人間に感染した

感染症が発生した

飢餓が発生する

栽培種が不作になると、人々はすぐに飢えた

農業の発祥に新しい説
人はビールをつくるために小麦を植えた

神殿にビールを捧げるために、麦の栽培を始めた!?

トルコで発掘された1万2000年前の最古の宗教施設ギョベックリ・テペ遺跡で麦の栽培跡とビール用と思われる器が発見された

麦の栽培が古代文明を築いた。その姿を見てみよう

麦とパンとビールの秘密

■ 農業は新たな苦労を生み出した

　ところが、農耕生活は、いいことばかりではありませんでした。狩猟採集時代は、必要なときに必要な分だけ、食料を調達すればよかったのですが、農耕を始めると、畑の管理に追われるようになりました。川の氾濫や動物や害虫による食害にあうと、不作のため飢えに苦しむことになります。人口が増えると、より広い畑が必要になり、さらに多くの労働力が求められました。

　健康面でも、弊害が生まれます。さまざまな食料をバランスよくとっていた狩猟採集時代と比べ、穀物中心の食事になり、栄養が偏ります。動物をてなずけて家畜を飼うようになると、動物の病気が人間にも感染するようになりました。

　最大の問題は、農地や水をめぐって争いが増えたことでした。以来、人類は絶え間なく戦争を繰り返すことになります。農業を始めたことによって、人類は、さまざまな苦労を背負うことになったのです。

麦がメソポタミアに都市と文明を生み出した

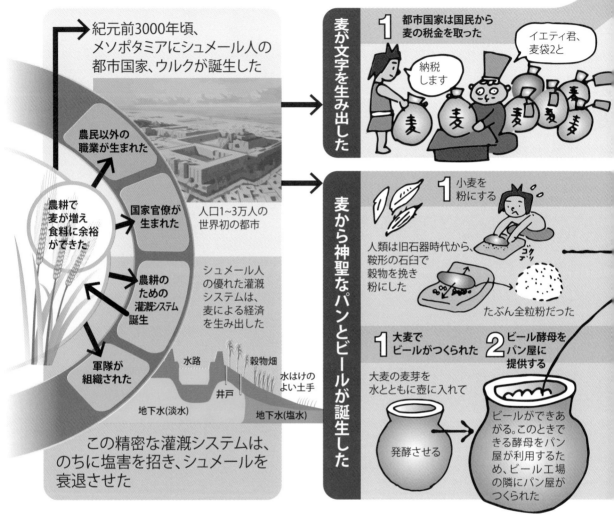

紀元前3000年頃、メソポタミアにシュメール人の都市国家、ウルクが誕生した

農民以外の職業が生まれた

農耕で麦が増え食料に余裕ができた

国家官僚が生まれた

人口1〜3万人の世界初の都市

農耕のための灌漑システム誕生

シュメール人の優れた灌漑システムは、麦による経済を生み出した

軍隊が組織された

水路　穀物畑
水はけのよい土手
井戸
地下水(淡水)　地下水(塩水)

この精密な灌漑システムは、のちに塩害を招き、シュメールを衰退させた

麦が文字を生み出した

1 都市国家は国民から麦の税金を取った

イエティ君、麦袋2と

納税します

麦から神聖なパンとビールが誕生した

1 小麦を粉にする

人類は旧石器時代から、鞍形の石臼で穀物を挽き粉にした

たぶん全粒粉だった

1 大麦でビールがつくられた

2 ビール酵母をパン屋に提供する

大麦の麦芽を水とともに壺に入れて

発酵させる

ビールができあがる。このときできる酵母をパン屋が利用するため、ビール工場の隣にパン屋がつくられた

麦の自生地で最初の文明誕生

　農耕生活は、どのようにして文明を生み出したのでしょう。世界で最も早く農耕文明が成立したのは、ティグリス・ユーフラテス川流域のメソポタミアからシリア、パレスチナにかけての「肥沃な三日月地帯」と呼ばれる一帯でした。ここには野生の麦が自生し、約1万年前には、すでに人々は麦を食べていました。長い時間をかけて、野生種から、栽培に適した種が生み出され

ると、本格的な農耕生活が始まります。
　食料の供給が安定すると、農業以外の職業が生まれ、分業で集団を支えるようになります。集団が大きくなると、都市が生まれ、集団を束ねるためには、指導者が必要となり、やがて国家が誕生しました。

麦が発展させた都市国家ウルク

　世界最古の都市国家とされるのは、紀元前3000年代頃、メソポタミアにシュメール人が築いたウルクです。現在のイラク南

2 納税が多すぎて、記憶できない

税の記録は国家の重要なデータ

3 そうだ数を記号にして、記録しよう

これで忘れてもOK

シュメールの楔形文字は粘土板に刻まれた

4 数字だけでなく、もっと複雑な言葉も記録しよう

税金のあと半分は来月で

借金だね

シュメール人は楔形文字が刻まれた粘土板を残したが、その多くが、このような税金と、借金と、商売の記録だった

2 パン種を発酵させる

ビール酵母で発酵させた

3 生地を寝かせて

4 ドーム型のパン窯で焼いた

5 パンは神聖なものとして「ギルガメシュ叙事詩」でも語られる

紀元前3000年頃著された、世界最古の物語文学「ギルガメシュ叙事詩」が刻まれた石版

3 シュメール人はストローでビールを飲んだ

麦の殻や茎を避けて、ストローで吸うんだ

4 ハンムラビ法典にもビールに関する法律が記されていた

●ビールの量をごまかしたら死刑
●反逆者にビールを飲ませて、見逃したら死刑
●女性の聖職者がビールを飲んだら死刑
メソポタミアのビールづくりは女性の仕事だったため、これらの法律はビールを飲ませる酒場の女主人に対するものだった

部にあたるこの地には、早くも画期的な灌漑システムがつくられていました。灌漑とは農地に水を引く技術です。川の氾濫と乾燥に悩まされていた農地に、水が行きわたるようになると、小麦や大麦の生産量が増え、都市はますます栄えました。

ウルクの遺跡からは、世界最古の文字とされる絵文字が書かれた粘土板が、いくつも発掘されています。都市国家を維持するために、人々は麦などの農作物を国家に収めていました。いまでいう税金です。この税金を記録するために考案されたのが、楔形の数字でした。ここから発展したのが、音を表す楔形文字です。人類は、麦を管理するために、文字を生み出したのです。

ウルクには巨大な神殿がつくられていましたが、宗教儀式に欠かせなかったのが、パンとビールでした。小麦や大麦からパンとビールをつくる技法が、当時すでに編み出されていたのです。メソポタミアには、ウルクに続いて、いくつもの都市国家が誕生し、パンとビールが広まっていきました。

中国の長江流域で生まれ
縄文時代の日本に渡った米

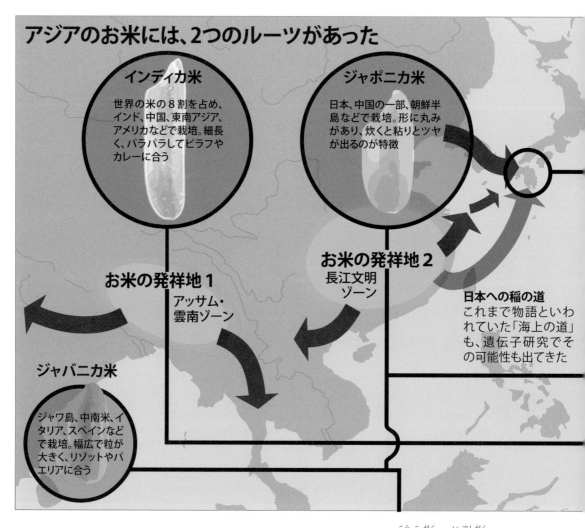

アジアのお米には、2つのルーツがあった

インディカ米

世界の米の8割を占め、インド、中国、東南アジア、アメリカなどで栽培。細長く、パラパラしてピラフやカレーに合う

ジャポニカ米

日本、中国の一部、朝鮮半島などで栽培。形に丸みがあり、炊くと粘りとツヤが出るのが特徴

お米の発祥地1

アッサム・雲南ゾーン

お米の発祥地2

長江文明ゾーン

日本への稲の道
これまで物語といわれていた「海上の道」も、遺伝子研究でその可能性も出てきた

ジャバニカ米

ジャワ島、中南米、イタリア、スペインなどで栽培。幅広で粒が大きく、リゾットやパエリアに合う

稲作は長江文明から

麦類と並ぶ主要穀物のひとつ、私たち日本人にとって馴染み深い米は、どこで生まれ、どのようにして広まったのでしょう？

長い間、稲作の発祥地は、インドのアッサム州から中国西南部の雲南省にかけての一帯だと考えられてきました。日本に伝わったジャポニカ米も、インドや東南アジアに伝わったインディカ米も、この地域からもたらされたというのが定説でした。

しかし、近年の考古学と遺伝学の研究によって、稲作の発祥地は、中国の長江流域であることがわかっています。1970年代に、長江下流域で紀元前5000年頃の河姆渡遺跡が発掘され、そこから大量の水稲のもみやもみ殻が見つかったのです。これは、雲南省などの遺跡から発見された稲作の痕跡より、3000年も古いものでした。

さらに、1980年代には、長江中流域の湖南省北西部で、彭頭山遺跡が発掘され、紀元前7000年頃の栽培種の稲が見つかっ

世界の稲と遺伝子の分布

ジャバニカ米
ジャポニカ米
インディカ米
ジャバニカ米
アフリカ稲
インディカ米
インディカ米

考古学と遺伝学が一緒になって、新しい発見が次々と出てきているんだ

古代人が残した遺物の遺伝子を解析して、その遺伝子の系統樹をさぐるDNA考古学が注目されている

日本の稲作は縄文時代から始まっていた

稲作は水田だけではなく、広く湿地帯にもみをまくだけの稲作もあった。この農法で縄文人が稲作をした痕跡が、多くの遺跡で縄文時代の地層から発見されている

ジャポニカ米のルーツは、9000年前の中国長江文明にあった

黄河文明とは別に、長江流域に独自に興った文明

彭頭山遺跡

湖南省にある洞庭湖周辺の新石器時代の彭頭山遺跡から、大量の稲もみが発見され、世界最古の稲作の跡と考えられている

彭頭山遺跡にのこる、環濠集落の跡
百貨知識中文網サイトより

稲の発祥地はアッサム・雲南ゾーンだけではなかった

従来の考え方

インディカ米

？
アッサム・雲南の稲の野生原種

ジャポニカ米

従来の考古学的調査で、稲の起源はアッサム・雲南の原種にあると考えられていた

もっと知りたい

『イネの文明
人類はいつ稲を手にしたか』
（佐藤洋一郎著・PHP研究所刊）

ています。このことから、稲作は長江中流域で始まり、この稲作を基盤として長江文明が発展したと考えられています。

■ 縄文人はすでに米を食べていた

日本に伝わったジャポニカ米も、長江中流域が原産であることは、ほぼ間違いないのですが、そこから直接もたらされたとする説や、朝鮮半島を経由してきたとする説など諸説あり、確かなルートはわかっていません。いずれにしても、紀元前1000年頃の縄文時代後・晩期に、大陸から水田稲作が伝わり、弥生時代に本格的な稲作が始まったことを示す遺跡が見つかっています。

しかし、稲そのものの痕跡は、縄文時代前期の遺跡からも見つかっています。稲作は必ずしも水田を必要とせず、現在もアジアの一部では、畑に種もみをまいて栽培する方法がとられています。もしかしたら縄文の人々は、水田稲作を知るはるか以前から、原始的な方法で稲を育て、豊かな生活を送っていたのかもしれません。

トウモロコシ栽培は
謎の文明オルメカから

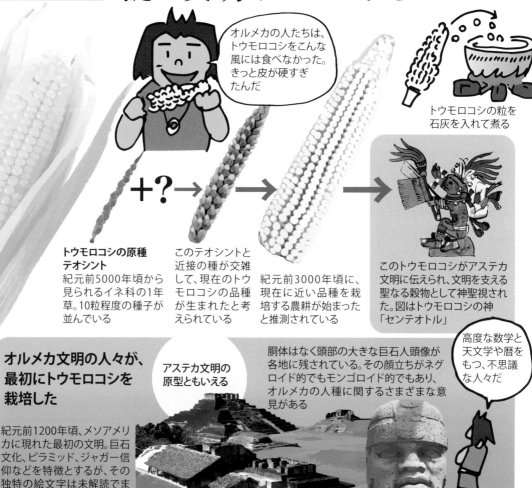

オルメカの人たちは、トウモロコシをこんな風には食べなかった。きっと皮が硬すぎたんだ

トウモロコシの粒を石灰を入れて煮る

+？→

**トウモロコシの原種
テオシント**
紀元前5000年頃から見られるイネ科の1年草。10粒程度の種子が並んでいる

このテオシントと近接の種が交雑して、現在のトウモロコシの品種が生まれたと考えられている

紀元前3000年頃に、現在に近い品種を栽培する農耕が始まったと推測されている

このトウモロコシがアステカ文明に伝えられ、文明を支える聖なる穀物として神聖視された。図はトウモロコシの神「センテオトル」

高度な数学と天文学や暦をもつ、不思議な人々だ

オルメカ文明の人々が、最初にトウモロコシを栽培した

アステカ文明の原型ともいえる

胴体はなく頭部の大きな巨石人頭像が各地に残されている。その顔立ちがネグロイド的でもモンゴロイド的でもあり、オルメカの人種に関するさまざまな意見がある

紀元前1200年頃、メソアメリカに現れた最初の文明。巨石文化、ピラミッド、ジャガー信仰などを特徴とするが、その独特の絵文字は未解読でまだ謎の多い文明

メキシコで進化したトウモロコシ

　3つ目の主要穀物、トウモロコシの歴史の舞台は、アメリカ大陸です。私たちがよく知るトウモロコシは、人間が品種改良した栽培種であり、もとになった野生種は、よくわかっていません。おそらくメキシコ周辺に自生するテオシントというイネ科の植物を起源とし、改良や突然変異によって、現在のように穂軸が大きいトウモロコシになったのではないかと推測されています。

　メキシコでは、紀元前6700年頃からトウモロコシが人の手で栽培されるようになり、紀元前5000年頃には大規模な栽培が始まりました。その頃はまだ穂軸の小さい原始的なトウモロコシだったようです。穂軸の大きい栽培種は、紀元前3000年頃から、現在と同じような品種は、紀元前1500年頃から現れたと考えられています。

中南米からヨーロッパへ

　農耕生活によって人口が増えると、文明

粒を包んでいる
硬い皮がすると
と取れる

この粒を石臼で
ゴリゴリ挽いて
粉にする

トウモロコシの
粉に水を加えて
生地をつくる

トウモロコシの3つの食べ方

生地を
丸く薄く
のばして焼く

トルティーヤ
現在でもメキシコ
の日常食

生地を丸めて、
鍋の中で蒸す

タマル
トウモロコシの
蒸し饅頭

軟らかくなったトウモロコシを
コトコト鍋で煮る

アトリ
トウモロコシのお粥

中南米発祥の豊富な食材も合わせて食べられていた

トウガラシ
トウモロコシの主菜の味付けとして、最も大切な香辛料として用いられた

トマト
ナス科の小さな実をつける野菜。原産のアンデスの高原地帯から広がる

カボチャ
甘みのない食事にカボチャの甘みは貴重だった

エンドウマメ
植物性蛋白質の摂取に必須の食材だった

サツマイモ
紀元前800年頃からメキシコを中心に栽培されていた

カカオ

蜂蜜

オルメカの人々もカカオを飲料としていた。神聖な戦士の飲み物といわれた。カカオを炒って粉末にして水に溶かし、トウガラシ、蜂蜜などで味付けした

三種栽培

優れた三種栽培が行われていた
トウモロコシと豆とカボチャを同じ畝で栽培した。豆はトウモロコシの栄養の不足を補い、カボチャはその葉が畑の乾燥を防いだ

蜂蜜も入れた

酒　プルケ
トウモロコシの薄粥と、リュウゼツランの汁を発酵させた酒もつくられていた

社会が生まれます。中央アメリカ最古の文明は、紀元前1200年頃メキシコ湾岸に興ったオルメカ文明とされています。オルメカは、巨石文化やジャガー信仰をもち、紀元前400年頃に急速に衰退した謎多き文明です。人々は、トウモロコシを石灰などで処理し、石臼を使って粉にし、生地を焼いたり蒸したりする調理法をすでに知っていました。主食であるトウモロコシは、信仰の対象として崇められてもいました。

トウモロコシの栽培と調理法は、その後のマヤ文明やアステカ文明に受け継がれ、やがて南北アメリカに広まっていきます。

15世紀末、探検家コロンブスがアメリカ大陸に到達したことで、トウモロコシはヨーロッパにもたらされることになりました。トウモロコシだけではなく、新大陸は、未知の食材の宝庫でした。私たちが現在、日常的に食べているトマト、ジャガイモ、カボチャ、トウガラシ、サツマイモなどは、中南米で生まれ、コロンブスの発見を機に海を渡ることになったのです。

ギリシア・ローマの美食が
西洋料理の原型になった

ローマの富裕層の饗宴に集まった、世界の食材

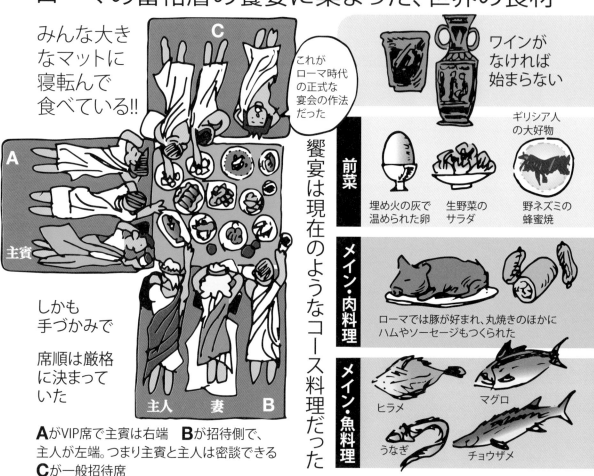

みんな大きなマットに寝転んで食べている!!

これがローマ時代の正式な宴会の作法だった

A

主賓

しかも手づかみで

席順は厳格に決まっていた

主人　妻　B

AがVIP席で主賓は右端　**B**が招待側で、主人が左端。つまり主賓と主人は密談できる**C**が一般招待席

ワインがなければ始まらない

饗宴は現在のようなコース料理だった

前菜

埋め火の灰で温められた卵　生野菜のサラダ　野ネズミの蜂蜜焼

ギリシア人の大好物

メイン・肉料理

ローマでは豚が好まれ、丸焼きのほかにハムやソーセージもつくられた

メイン・魚料理

ヒラメ　マグロ　うなぎ　チョウザメ

交易がもたらした豊かな食

メソポタミアで生まれたパンは、エジプトを経てギリシアへ、長い時間をかけて伝わります。今日、パンがヨーロッパで主食とされているのも、古代ギリシアで専門のパン職人が誕生し、量産されるようになったのが始まりです。パンだけでなく、ヨーロッパの食文化の原点は、古代ギリシアから古代ローマにかけての時代にありました。

紀元前8世紀頃、エーゲ海沿岸に、いくつもの都市国家が生まれます。都市の間で交易が行われるようになり、さまざまな食材が、やりとりされるようになりました。交易で潤うようになったギリシアには、穀物、肉、魚、野菜、果物、チーズ、蜂蜜など、多彩な食材が溢れ、特権階級の貴族たちの食卓を彩りました。

ローマ帝国で花開いた食文化

古代ギリシアの食は、古代ローマに受け継がれていきます。紀元前3世紀にイタリ

ワインはろ過して、水で割って飲んでいた

ワインが濃くて、沈殿物が多かったため

ワインが伝わった道

ローマ　ギリシア　ジョージア　メソポタミア　エジプト

ワインは8000年前からジョージアでつくられ始めた

地中に埋めた素焼きの大甕に、ブドウを皮ごと入れて発酵させてワインをつくった。写真はその大甕

ジョージアでは現在もこの方法で、ワインがつくられている

塩ゆでしたカタツムリ

生牡蠣

ギリシア人の数学者ピタゴラスの好物

キャベツ・レタスの酢のもの

生のウニ

小魚のマリネ

野鳥の焼きもの

豚の串焼きも人気　イノシシの丸焼き　子羊のロースト　鶏のロースト

どんな調味料を使っていたのか

メインはガルム
塩漬けのサバを発酵させてつくる、液体調味料。日本やアジアの「魚醤」と同じと考えられている。独特の匂いのために、都市では生産が禁止されていた

甘味は蜂蜜
甘味は、蜂蜜からとっていたが、高価なために、果汁を濃縮したものも使った

たくさんのハーブ類
にんにく、セロリの種、マスタード、ナツメヤシ、ハッカ、ウルシ科のスマックの実、ヘンルーダなど

大人気の胡椒は、とても高価な調味料だった

魚料理は身をスライスしてオリーブオイルと塩といった、シンプルな味付けのものが多い

アカタチウオ

デザート

デザートはリンゴなど

ア半島を統一した都市国家ローマは、周辺地域に勢力をのばし、紀元前27年に帝政に移行。ローマ帝国は、以後、約400年にわたって地中海世界を支配し、遠く中国ともシルクロードによって結ばれ、東西貿易によって世界の食材を手に入れます。

上のイラストは、古代ローマの貴族や富裕層の晩餐会を描いたものです。邸宅に招かれた人々は、雇われ料理人が次々とつくる料理を寝転んだまま食べていました。決まってゆで卵から始まり、さまざまな前菜

に続いて、メインの肉料理や魚料理、最後は果物やお菓子などのデザート。現在のコース料理の原型が、ここにあります。

料理のお供には、水で薄めたワインが飲まれていました。ワインは、紀元前8世紀頃にはイタリア半島に伝わっていました。ビールではなく、ワインがこの地に定着したのは、地中海沿岸が、もともとブドウの産地だったからです。

ローマで育まれた食文化は、その後のヨーロッパ世界に受け継がれていきました。

ローマの美食家が熱望した胡椒は遠くインドから運ばれてきた

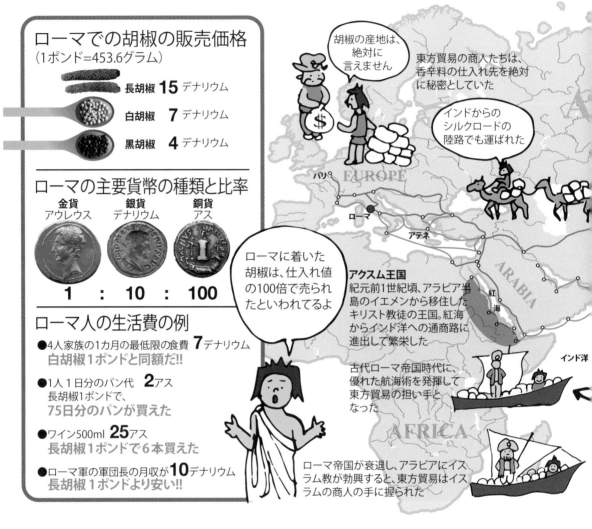

ローマでの胡椒の販売価格
（1ポンド＝453.6グラム）

長胡椒 15 デナリウム

白胡椒 7 デナリウム

黒胡椒 4 デナリウム

ローマの主要貨幣の種類と比率

金貨 アウレウス	銀貨 デナリウム	銅貨 アス
1	**10**	**100**

ローマ人の生活費の例

● 4人家族の1カ月の最低限の食費 **7** デナリウム
白胡椒1ポンドと同額だ!!

● 1人1日分のパン代 **2** アス
長胡椒1ポンドで、**75日分のパンが買えた**

● ワイン500ml **25** アス
長胡椒1ポンドで6本買えた

● ローマ軍の軍団長の月収が **10** デナリウム
長胡椒1ポンドより安い!!

胡椒の産地は、絶対に言えません

東方貿易の商人たちは、香辛料の仕入れ先を絶対に秘密としていた

インドからのシルクロードの陸路でも運ばれた

ローマに着いた胡椒は、仕入れ値の100倍で売られたといわれてるよ

アクスム王国
紀元前1世紀頃、アラビア半島のイエメンから移住したキリスト教徒の王国。紅海からインド洋への通商路に進出して繁栄した

古代ローマ帝国時代に、優れた航海術を発揮して東方貿易の担い手となった

ローマ帝国が衰退し、アラビアにイスラム教が勃興すると、東方貿易はイスラムの商人の手に握られた

EUROPE　パリ　ローマ　アテネ　ARABIA　紅海　ABYSSINIA　インド洋　AFRICA

金銀にも匹敵した胡椒

古代ローマの食生活に欠かせなかったのが、料理に香りと風味を添える香辛料です。なかでも、ぴりっとした刺激があり、食欲増進の効果をもつインド産の胡椒は、ローマの美食家たちをとりこにしました。

1世紀のローマの歴史家、大プリニウスは、著書『博物誌』のなかで、ローマで胡椒が大流行し、「金や銀のような目方で買われている」と記し、具体的な値段まで書き残しています。

それによると、当時、最も高価だったのは、私たちがよく知る丸い胡椒ではなく、細長い形をしたインド北部原産の長胡椒でした。長胡椒は、現地では「ピパリ」と呼ばれており、これが「ペッパー」の語源になったとされています。

ヨーロッパに渡った秘密の香辛料

インド南西部のマラバル海岸に自生する胡椒は、ペルシア経由で、すでに古代ギリ

PEPPER

胡椒
インド南西海岸のマラバル地方が原産。その後インド人の移住でアジアに広がる

CINNAMON

シナモン
シナモンの木の内側の樹皮。セイロン島が唯一の産地だった

CLOVE

クローブ
フトモモ科の樹木チョウジノキの花蕾で、よい香りがする

まいどありっ!!

インドのカリカットが、香辛料の一大集積地だった

NUTMEG

ナツメグ
「スパイス諸島」モルッカ諸島
インドネシアの中央に浮かぶ100ほどの島々。「クローブ」と「ナツメグ」は世界でここだけに産した

わーっ、見つけたぞ

現地で仕入れれば、安い

A

INDIA

カット

インドで胡椒を仕入れる

シアの時代に伝わっていましたが、その頃は主に薬用に使われていました。香辛料として盛んに使われるようになったのは、古代ローマ時代です。

　上の図は、インドからローマへ、胡椒がもたらされたルートを示したものです。胡椒は、インド南西海岸のカリカット（現地名はコジコーデ）から、陸路や海路でローマへと運ばれていきました。特に、インド洋を渡り、紅海を経て、地中海沿岸に至る海上ルートは、陸のシルクロードと並ぶ重要な交易路でした。このルートは、現在のエチオピア海岸地方に栄えたアクスム王国が開拓したもので、インド洋の季節風を利用して航海日数を短縮することができました。ローマ帝国が衰退し、アラビア半島にイスラム国家が誕生すると、香辛料貿易は、イスラム商人の手に握られます。胡椒のほか、モルッカ諸島のナツメグやクローブ、セイロン島のシナモンなどがヨーロッパに渡りましたが、イスラム商人は、貴重な産地を決して明かしませんでした。

シルクロードは小麦の道
帰りは麺になってイタリアへ

メソポタミアに生まれた小麦はパン文化圏を出発して
シルクロードを東に進み、着いた中国で麺と出合った。
いつ出発したかは定かではない

確かなのは、挽臼の
製粉技術とともに
遊牧民の手で東へ
進んだ

マルコ・ポーロが持ち帰ったという
説は間違い。マルコ・ポーロ帰国以
前に、シチリアでパスタの「イットリー
ヤ」がつくられていた記録がある

④
イタリア

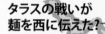

ラグマン
(中央アジア各地)

メソポタミア

①

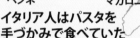

スパゲティ　　　ペンネ　　　マカロニ

**イタリア人はパスタを
手づかみで食べていた**
写真はナポリのパスタ屋の前で、
手づかみでパスタを食べている
人々。ヨーロッパでも近代になる
まで、食事にフォークは登場しな
い。熱い汁麺を箸で食べる文化は
伝わらなかった

**タラスの戦いが
麺を西に伝えた?**
751年に唐とアッバース朝が戦
い、敗れた唐から人材がイスラ
ムへ流れた。このとき紙すきの技
術とともに、麺もイスラムに伝わ
ったという説がある

これは
麺の
ことだ!!

11世紀のイスラムの哲学者が、
イタリアで麺を表す「イットリー
ヤ」が、ペルシア語の麺を表す
言葉「リシュタ=糸」と同じであ
ることを指摘した

中国で生まれ、進化した麺類

　メソポタミアで生まれた小麦は、西方の
ギリシア・ローマだけでなく、東方にも伝
わって、独自の料理文化を生み出します。
それが、麺類です。

　長い間、麺の発祥地は、謎に包まれて
いましたが、現在は、中国北部の黄河流域
と考えられています。2005年に、新石器
時代後期の遺跡から、約4000年前のもの
と思われる麺が見つかったのです。原料に

使われたのは、小麦ではなく、キビとアワ
と見られていますが、穀物の粉をこねてつ
くる麺の製法は、古くからあったようです。

　中国に小麦の製粉技術が伝わったのは、
漢の時代(紀元前202～後220年)。ユー
ラシア大陸の東西を結ぶ一大交易路、シル
クロードを通じてもたらされます。最初は、
小麦粉をこねてゆでただけの簡単なものか
ら始まり、手で引き延ばす手延べ麺、刃物
で切ってひも状にする切り麺へと進化して
いきました。

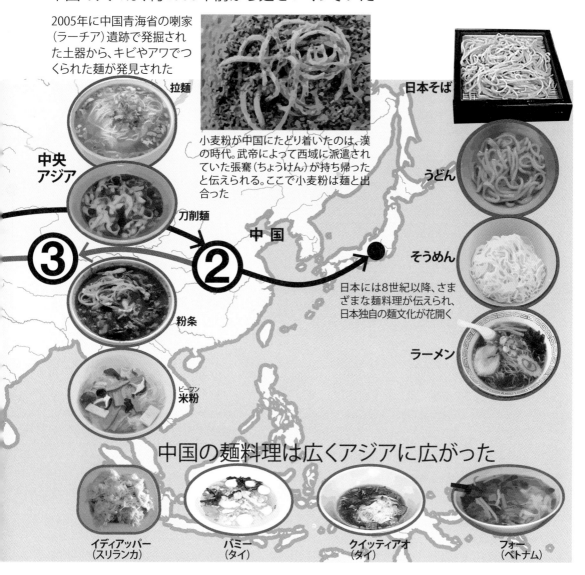

中国の人々は、約4000年前から麺をつくっていた

2005年に中国青海省の喇家（ラーチア）遺跡で発掘された土器から、キビやアワでつくられた麺が発見された

拉麺

日本そば

小麦粉が中国にたどり着いたのは、漢の時代。武帝によって西域に派遣されていた張騫（ちょうけん）が持ち帰ったと伝えられる。ここで小麦粉は麺と出合った

中央アジア

うどん

刀削麺

③

中国

②

そうめん

粉条

日本には8世紀以降、さまざまな麺料理が伝えられ、日本独自の麺文化が花開く

ビーフン
米粉

ラーメン

中国の麺料理は広くアジアに広がった

イディアッパー（スリランカ）

バミー（タイ）

クイッティアオ（タイ）

フォー（ベトナム）

■ 麺文化はアジアやイタリアへ

　中国で発達した麺の技術は、アジア各地に伝わり、それぞれの土地で独自に進化していきました。中央アジアには、ラグマンのような簡単な手延べ麺が伝わります。日本には8世紀以降に伝わり、そうめん、そば、うどんなどが生まれます。東南アジアには、中国系移民によって、米粉を使った麺が広まっていきました。

　一方、ヨーロッパで唯一、パスタという独自の麺文化が生まれたのがイタリアです。東方を旅したマルコ・ポーロが、13世紀に中国から製麺技術を伝えたという説もありますが、現在は否定されています。12世紀のイタリアの文献には、シチリアでイットリーヤという麺がつくられていたことが記されており、アラブの文献によれば、同じ麺が、アラブやペルシアにもあったようです。中国の麺は、イスラム勢力が西に拡大するとともに、シルクロードをたどって、イタリアに行き着いたのかもしれません。

ゲルマン人の肉食文化が
中世ヨーロッパに広まる

375年頃から
フン族が侵入し
北ヨーロッパを
荒らしまわった

フン族＝匈奴説

消えた匈奴が西へ移動して、
ヨーロッパを攻めたという説がある

北の森で生きてきた
ゲルマン人が追い出されて

森の狩人ゲルマン人は
根っからの肉食人種

ローマ帝国領に侵入した

次々とゲルマン人の
王国をつくる

バルト諸族
スラヴ諸族
フン

シアグリウス領
フランク
王国
ブルグント
王国
スエビ
王国
西ゴート王国
東ゴート
東ローマ帝国
サザン朝
ペルシア
ヴァンダル王国

ゲルマン人の侵入によって
ローマ帝国は分裂し、西ローマは滅びた

森の民ゲルマン人の大移動

　一時代を築いたローマ帝国は、東西に分裂し、476年には西ローマ帝国が滅亡。ローマの衰退を早めたのは、北方から侵入してきたゲルマン人でした。

　ゲルマン人とは、ひとつの民族を指すのではなく、スカンジナビア半島南部から北ドイツあたりにかけての一帯に暮らしていた、さまざまな部族からなる集団です。背が高く、色白で、瞳は青く、髪はブロンド。

現在のイギリス、ドイツ、オランダ、デンマーク、スウェーデンなどのルーツになったのが、ゲルマン人です。

　4世紀後半から6世紀にかけて、ゲルマン人は、集団で移動し、ヨーロッパ各地に散っていきます。遊牧騎馬民族フン族に追われたのが、直接のきっかけでしたが、それ以前から寒冷化と人口増加のため、新たな土地を求めていました。この「ゲルマン人の民族大移動」の結果、ヨーロッパにゲルマン人による王国が次々と誕生します。

紀元100年頃から
地球は寒冷期になった

北の匈奴が
南下して漢に侵入

戦闘が続く

匈奴は戦わずに消えた

武帝は
匈奴と戦う

後漢に大攻勢する

1 ゲルマンの肉食の思想

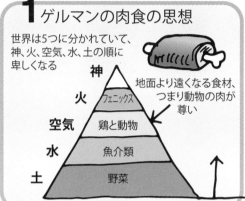

世界は5つに分かれていて、
神、火、空気、水、土の順に
卑しくなる

地面より遠くなる食材、
つまり動物の肉が
尊い

神
火　フェニックス
空気　鶏と動物
水　魚介類
土　野菜

2 当時の健康哲学

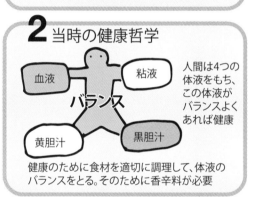

血液　粘液
バランス
黄胆汁　黒胆汁

人間は4つの
体液をもち、
この体液が
バランスよく
あれば健康

健康のために食材を適切に調理して、体液の
バランスをとる。そのために香辛料が必要

3 大切な肉の保存・加工・調理に香辛料は必需品だ

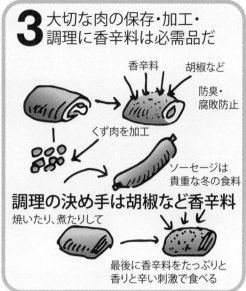

香辛料　胡椒など

防臭・
腐敗防止

くず肉を加工

ソーセージは
貴重な冬の食料

調理の決め手は胡椒など香辛料

焼いたり、煮たりして

最後に香辛料をたっぷりと
香りと辛い刺激で食べる

だからゲルマンの王は……

もっと香辛料を
でも、高すぎる

気持ちは
わかるな

この叫びが大航海時代のきっかけとなった

香辛料が肉料理の必需品に

　もともと北の森に暮らしていたゲルマン人は、狩りをしたり、家畜を放牧したりして、肉を主食としていました。肉こそ力の源と考えられていたのです。古代ローマの貴族たちにふるまわれた豚肉も、ゲルマン人からもたらされたものでした。

　中世ヨーロッパでは、農民たちは豚を飼い、貴族たちはイノシシやシカなどの狩りに興じていました。秋になると、肉をハムやソーセージに加工し、冬に備えて保存します。臭みをとり、腐敗を防ぐために、香辛料や香草がふんだんに使われました。調理するときは、胡椒が欠かせませんでした。

　人口が増え、肉がますます必要になると、香辛料の需要も高まります。しかし、ゲルマン人があちこちに王国をつくったため、ローマ帝国が築いた交易網は分断され、香辛料はイスラム商人から高値で買わなければなりませんでした。これがのちに、大航海時代のきっかけとなるのです。

東洋の富が生み出した
イスラムの知性と美食の世界

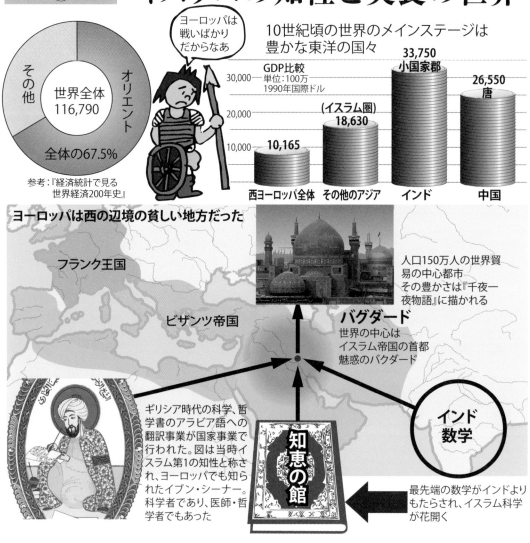

ヨーロッパは戦いばかりだからなあ

10世紀頃の世界のメインステージは豊かな東洋の国々

その他

世界全体
116,790

オリエント

全体の67.5%

参考:『経済統計で見る世界経済200年史』

GDP比較
単位：100万
1990年国際ドル

33,750
小国家郡

26,550
唐

(イスラム圏)
18,630

10,165

西ヨーロッパ全体　その他のアジア　インド　中国

ヨーロッパは西の辺境の貧しい地方だった

フランク王国

ビザンツ帝国

人口150万人の世界貿易の中心都市
その豊かさは『千夜一夜物語』に描かれる

バグダード
世界の中心はイスラム帝国の首都魅惑のバグダード

ギリシア時代の科学、哲学書のアラビア語への翻訳事業が国家事業で行われた。図は当時イスラム第1の知性と称され、ヨーロッパでも知られたイブン・シーナー。科学者であり、医師・哲学者でもあった

知恵の館

インド
数学

最先端の数学がインドよりもたらされ、イスラム科学が花開く

イスラム商人がもたらした富

　香辛料貿易を一手に握ったイスラム商人とは、イスラム教徒の商人をさします。彼らは、なぜそんなに大きな力をもつようになったのでしょう？

　アラビア半島にイスラム教が興ったのは７世紀のこと。イスラム教徒たちは、結束して力を強め、イスラムの国家をつくりあげます。８世紀に成立したアッバース朝は、巨大なイスラム帝国となり、首都バグダー

ドは東西交易の中心地となって栄えます。この交易を担い、帝国に莫大な富をもたらしたのが、イスラム商人でした。

　彼らの活躍によって、帝国はますます栄え、バグダードに豊かな文化が生まれます。「知恵の館」と呼ばれる東西学問の研究所が開設され、東西の英知が結集しました。

　一方のヨーロッパでは、ゲルマン人による小王国が戦いに明け暮れていました。この頃のヨーロッパは、遅れてきた新興勢力にすぎなかったのです。

アラビアの食事に音楽と詩は付き物。宴会の参加者には、料理を讃える詩作も求められた

世界3大料理のひとつ
オスマン帝国のトルコ料理に継承

バグダードからイスラム世界へ

イスラム教で豚肉はタブー 羊肉が一般化する

高度に香辛料を駆使するシシカバブ

豪華絢爛の宮廷料理

トルココーヒーの独自進化

トルココーヒーは粉を沈殿させて、上澄みを飲む

10世紀頃の料理書が、164品の豪奢な宮廷料理のレシピを伝えている。例えば、コリアンダー、シナモン、サフランで味付けし、酢で酸味をつけたナツメヤシの汁で煮込んだ肉と野菜のシチューなど

豊富な砂糖で甘いデザート

とにかく甘い、現在のトルコの菓子バクラヴァの原型

アラブ料理は世界の中心料理

地中海の魚介類

アフリカの米やクスクス

シリアのリンゴ、オスマンのマルメロ、オマーンの桃、ナイルのキュウリ、エジプトのレモン

インドからの砂糖、胡椒、米、バナナ

アジアからの柑橘類、マンゴー

■ イスラムが生んだ絢爛たる食文化

中世ヨーロッパで、素朴な肉料理が食されていた頃、バグダードには、交易と領土拡大によって世界の食材がもたらされ、絢爛たる食文化が花開いていました。

イスラム教の戒律によって、豚肉は禁じられていましたが、羊肉や鶏肉、乳製品、魚介類、穀物、野菜、果物、ナッツ類など豊富な食材がそろい、香辛料と香草をふんだんに使った多彩な料理が生み出されました。宴会の席では、料理を賛美する詩を詠みながら、美食に酔いしれたといいます。

アラブに生まれた食文化は、アッバース朝のあと、イスラム世界を支配したオスマン帝国に受け継がれていきます。オスマン帝国は、イスラム教を受け入れたトルコ系民族が1299年に築いた国家で、第一次世界大戦までイスラムの覇者であり続けます。今日、中華料理、フランス料理と並んで世界3大料理のひとつといわれるトルコ料理の源流は、アラブ料理にあるのです。

東国の香辛料を求めて
大航海時代が始まった

これからの物語は、西洋の栄光の、そして東洋にとっては、大きな不幸の始まりなんだ

東への道はイスラム教徒の壁で閉ざされていた

オスマン帝国

マルコ・ポーロは、この先には黄金のジパングがあるスパイスのインドがあると言っている

この壁に2人の男が挑戦した

俺がアフリカ経由でインドに行ってやる

ポルトガルのヴァスコ・ダ・ガマ

スペイン
ポルトガル

俺は西へ行く。地球は丸いからジパングに着くはずだ

ヨーロッパの王室と商業資本家がスポンサーとなった

航海の費用を出資しましょう

王室になら出資しよう

冒険だが成功すれば利益もすごい

クリストファー・コロンブス

スペインイサベル女王

ジェノバの商人

ここはジパングじゃない。そこでコロンブスは考えた

それならここはインドだ!!

カリブ海

キューバ

しかし現実は違った
10月11日に船はアメリカのバハマ諸島にたどりついた

ともかくコロンブスは新世界への扉を開けた。この扉から、怒濤のようにヨーロッパは、新世界に進出していく

まっすぐ行けばジパングだ!!

アメリカ

ジパング

1492年8月3日コロンブス出航

彼の地図にはアメリカはなかった

東を阻まれ西回りで東方へ

　中東にはオスマン帝国、中国には明朝が栄え、インドにはムガル帝国が生まれようとしていた15世紀後半、ヨーロッパは大航海時代を迎えます。その引き金となったのが、肉料理に欠かせない香辛料でした。

　中世ヨーロッパで珍重された香辛料は、イスラム商人によって法外な値段で取引され、産地も謎に包まれていました。13世紀に東洋を旅したマルコ・ポーロの『東方見聞録』によって、香辛料がとれるインドや東方の島々の存在が知られるようになると、ヨーロッパの人々は、香辛料を直接手に入れようと考えます。しかし、ヨーロッパの東側には、オスマン帝国の広大な領土が広がり、陸路を阻んでいました。

　そこで船を使って、西回りで東方を目指そうとする人が現れます。それが、イタリアの探検家コロンブスです。当時はまだ、地球は球形で、東西の端はつながっている、と信じる人は少なかった時代でした。

ポルトガルは、イスラムの壁を突破してアジアへの道を開いた

ボロ船が来たぞ

帰りの航海で乗組員の大半が死んでも

これが目的だもの

大成功!!
胡椒が60倍の値で売れた!!

土地の王への土産があまりに粗末で笑い者になる

でも胡椒はしっかり確保

ポルトガルはインドを拠点にセイロンを征服

セイロン

コロンブスは、新大陸に厄災を運び、新大陸から豊かな植物を旧大陸にもたらした

旧世界（ヨーロッパ）

コレラ、インフルエンザ、マラリア、ペスト、天然痘、結核、腸チフス

新世界（新大陸・アメリカ）

トウモロコシ　ジャガイモ　アボカド　マメ　サツマイモ　ハイナップル　タバコ　トウガラシ　トマト　カボチャ　ヒマワリ　イチゴ　カカオ

スペインが新大陸に送った侵略者

エルナン・コルテス　ペドロ・デ・アルバラード　フランシスコ・ピサロ

この3人の殺戮によって2500年続いたマヤ文明や、アステカ王国、インカ帝国が滅んだ

見出された新大陸とインド

　コロンブスは、スペイン王室の援助を受けて大西洋を渡りますが、見つけたのは香辛料の里インドではなく、当時の地図にはなかった未知（みち）の大陸アメリカでした。

　この大陸には、一番の目的だった胡椒（こしょう）こそありませんでしたが、見たこともない植物がたくさんありました。ジャガイモ、トウモロコシ、トマト、トウガラシなど、いまでは世界中で食べられている野菜は、こ

の時代に初めてヨーロッパの知るところとなったのです。新大陸に一番乗りしたスペインは、珍しい植物の種（たね）を持ち帰り、かわりにヨーロッパから天然痘（てんねんとう）などの感染症（かんせんしょう）を新大陸にもちこむことになりました。

　一方、コロンブスより少し遅れて、東方を目指したのが、ヴァスコ・ダ・ガマです。彼は、ポルトガルからアフリカを経（へ）て、インドに渡る東回りのインド航路（こうろ）を開拓。ポルトガルは、目的の胡椒をインドから直接手に入れることに成功します。

27

中南米から渡った野菜が
世界の食文化を大きく変えた

〇 **トマト情報** トマトがパスタのトマトソースになるまで

コルテスが持ち帰った

天然痘でアステカ王国を滅ぼした

トマトは最初「毒リンゴ」と恐れられた

奇妙な実のなる観賞植物

貧しいイタリア人が食べてみた。酸っぱいが、食べても死なない

ハラペコだ！…

品種改良が続いて

17世紀になって、肉料理の香辛料として利用され

ついに、トマト味のミネストローネが登場した

トマト

トマトの煮汁のスープ

ジャガイモ情報

現代なら国際的犯罪者フランシスコ・ピサロのやった唯一のいいこと

18世紀にはジャガイモの白い花が観賞用として人気を得た

プロイセンのフリードリッヒ2世ジャガイモ栽培を奨励

ジャガイモ食で、戦争で疲弊していたプロイセンの人口が増えた

1533年
策謀と裏切り、そして暴力でインカ帝国を滅ぼす。ついでにジャガイモを持ち帰る

1845年
ヨーロッパにジャガイモの疫病が大発生。アイルランドで150万人が餓死

フランス人の捕虜がジャガイモスープを食べて感動

帰国してジャガイモを栽培。ルイ16世がこれを支援して

ジャガイモすごい！！

ジャガイモすごい！！

フランスにジャガイモが普及した

さあさあ、中南米から持ってきた珍種だよ。いまじゃ、料理に欠かせない!!お安くしとくよ

ジャガイモ　トウモロコシ

南米由来

奇異な目で見られた異国野菜

　中南米からもたらされた野菜は、最初からヨーロッパで食用として受け入れられたわけではありません。当初は異国の珍しい植物としか思われていませんでした。それどころか、トマトは「毒リンゴ」と恐れられ、ジャガイモは不格好な形が気味悪がられ、トウモロコシは味気ない食べ物として嫌われていました。これらの野菜が、世界に広まるには、長い時間を必要としました。

　トマトは南米のアンデス高原原産とされ、メキシコに渡ってアステカ王国で栽培されていました。1519年、スペインのコルテスは、このアステカ王国を征服し、トマトの種を本国に持ち帰ります。まっ赤な実は、もっぱら観賞用とされ、料理に使われるようになったのは、イタリアに伝わってからのことです。18世紀末にはトマトソースが誕生し、パスタと組み合わせて食べられるようになり、トマトはイタリア料理に欠かせない食材となりました。

特報
1790年、ナポリでついにトマトソースパスタが誕生した

トウガラシ情報

コロンブスが持ち帰ったが、みんな無関心

ポルトガル人がブラジル産のトウガラシを発見し、世界へ広めた

豊臣秀吉の朝鮮出兵で韓国にトウガラシが伝わった

それまで韓国料理は辛くなかった
からくない
キムチも水キムチのような薄味だった

日本には16世紀に、ポルトガルの宣教師から戦国大名に献上された説が有力

16世紀まで、インド料理も辛くなかった
からくない

19世紀まで四川料理も辛くなかった
マーボー、ムリっ

トウモロコシ情報

コロンブスが持ち帰ったが、まったく人気がなかった

トウモロコシを主食としたのは3つの地域

1 ルーマニア
2 北イタリア
3 西アフリカ

トウモロコシはアメリカへの移民の命を救う
アリガトウ!!

奴隷貿易で奴隷の食料としてトウモロコシが栽培され、定着した

ママリガ
トウモロコシの粉に水を加え火にかけて練り、豚の脂身で炒める

ポレンタ
ママリガと同様に粉を練り、平らに伸ばす。ソースをつけて、朝食などで食べる

現在トウモロコシの大半は畜産飼料として栽培されている

2502

トマト　トウガラシ

野菜大バーゲン

ヨーロッパの食料難を救う

　一方、ジャガイモを最初に持ち帰ったのは、1533年にインカ帝国を滅ぼしたスペインのピサロ軍だったといわれています。以来、200年以上も日の目を見なかったジャガイモが、最初に普及（ふきゅう）したのは、ドイツの前身（ぜんしん）プロイセン王国でした。18世紀中頃、国王フリードリッヒ２世は、戦争や不作による食料難を解消するため、ジャガイモ栽培を奨励（しょうれい）。寒冷（かんれい）でやせた土地でも育つ

ジャガイモは、19世紀中頃までにはヨーロッパ全土に広まり、パンと並ぶエネルギー源となって、各地の食料難を救ったのでした。

　同様に、トウガラシは、ブラジルからポルトガルを経て、中国の四川（しせん）料理や韓国のキムチに影響を与えます。トウモロコシは、北イタリアやルーマニアに伝わって、独自の料理を生み出しました。

　ヨーロッパがアメリカ大陸と出合ったことで、世界の食卓は豊かになりましたが、これは略奪（りゃくだつ）の歴史の始まりでもありました。

甘い砂糖を求める人々の欲望が プランテーションを生んだ

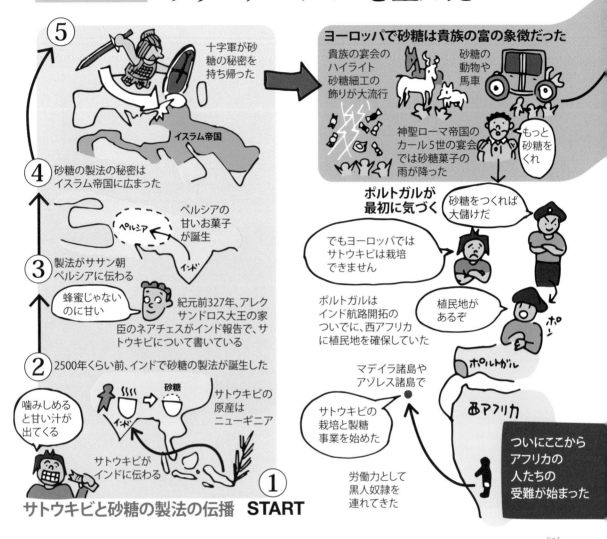

⑤ 十字軍が砂糖の秘密を持ち帰った

イスラム帝国

④ 砂糖の製法の秘密はイスラム帝国に広まった

ペルシアの甘いお菓子が誕生

ペルシア

インド

③ 製法がササン朝ペルシアに伝わる

蜂蜜じゃないのに甘い

紀元前327年、アレクサンドロス大王の家臣のネアチェスがインド報告で、サトウキビについて書いている

② 2500年くらい前、インドで砂糖の製法が誕生した

噛みしめると甘い汁が出てくる

砂糖

インド

サトウキビの原産はニューギニア

サトウキビがインドに伝わる

① サトウキビと砂糖の製法の伝播　**START**

ヨーロッパで砂糖は貴族の富の象徴だった

貴族の宴会のハイライト砂糖細工の飾りが大流行

砂糖の動物や馬車

神聖ローマ帝国のカール5世の宴会では砂糖菓子の雨が降った

もっと砂糖をくれ

ポルトガルが最初に気づく

砂糖をつくれば大儲けだ

でもヨーロッパではサトウキビは栽培できません

植民地があるぞ

ポルトガルはインド航路開拓のついでに、西アフリカに植民地を確保していた

ポルトガル

西アフリカ

マデイラ諸島やアゾレス諸島で

サトウキビの栽培と製糖事業を始めた

労働力として黒人奴隷を連れてきた

ついにここからアフリカの人たちの受難が始まった

十字軍が持ち帰った砂糖

　ヨーロッパで、香辛料と並んで珍重されたのが、砂糖です。砂糖の原料となるサトウキビは、ニューギニアを原産地とし、インドに渡って砂糖の製法が生み出されました。これがペルシアからイスラム世界に伝わり、富裕層の間で、砂糖をふんだんに使った甘いお菓子や、細やかな砂糖細工がもてはやされるようになります。

　イスラムの砂糖がヨーロッパに伝わる

きっかけとなったのは、11世紀後半の十字軍の遠征でした。イスラム軍と戦ったキリスト教徒の十字軍が、サトウキビと砂糖の製法を持ち帰ったのです。それまでヨーロッパで甘いものといえば、森でとれる蜂蜜くらいのものでした。甘くてまっ白な魔法の粉は、中世ヨーロッパの貴族たちを魅了します。砂糖は富の象徴とされ、イスラムから伝わった砂糖細工が、王や貴族の宴会の席を彩りました。こうしてヨーロッパで、砂糖の需要が高まっていきます。

砂糖大好きの女王
エリザベス1世を歓待する宴会

砂糖好きの彼女の
歯は虫歯だらけ
だったといわれる

16世紀に砂糖は
中産階級のお菓子に

300人以上の人間が
さまざまな砂糖細工を
担いで行進した

17世紀には、砂糖の友、
コーヒー、紅茶、
チョコレートが一般化した

上流階級のデザートの
レシピがベストセラー
となり、甘いお菓子が普及した

産業革命で登場
する工場労働者
たちの間で、砂糖
入り紅茶が普及

砂糖の需要
が急増する

砂糖づくりは大変な重労働だった

① 過酷な
サトウキビの
植えつけ作業

② サトウキビの
間引き、草取り、
水やりが続く

③ 灼熱の中の刈り取り

④ サトウキビを
機械で圧搾して
絞り汁を溜める

⑤ 絞り汁を釜で
煮詰めていき、
不純物をのぞいていく

⑥ 煮詰めたシロップを
円錐形の容器の内側
に貼りつける。冷却さ
れて砂糖は結晶となる

砂糖を増産したいが、
労働力が足りない

ポン

そうだ奴隷
を使えば
いいんだ

この事業に
イギリスが進出
して、もっとひど
いことが
始まるんだ

砂糖プランテーションの始まり

　最初に本格的なサトウキビ栽培を始めたのは、スペインとともに大航海時代の先鞭をつけたポルトガルでした。ポルトガルは1479年に、スペインとの取り決めによって、大西洋のほとんどの島と西アフリカを獲得すると、大西洋上のマデイラ諸島やアゾレス諸島でサトウキビを栽培し、労働力として西アフリカから黒人奴隷を連れてくるようになりました。1500年には南米のブラジルを

獲得し、ここでも黒人奴隷を使った大規模な砂糖プランテーションを始めます。もっと砂糖がほしい、という人間の欲望が、同じ人間を商品として売買する非人道的な奴隷貿易を生み出してしまったのです。
　サトウキビの生産から製糖まで、一貫して行う作業は、過酷を極めました。無償で働く奴隷たちによってつくられた砂糖は、本国ポルトガルに富をもたらします。この成功を見て、ほかのヨーロッパ諸国が放っておくはずがありませんでした。

砂糖に群がるヨーロッパ列強が
史上最悪の奴隷貿易を断行

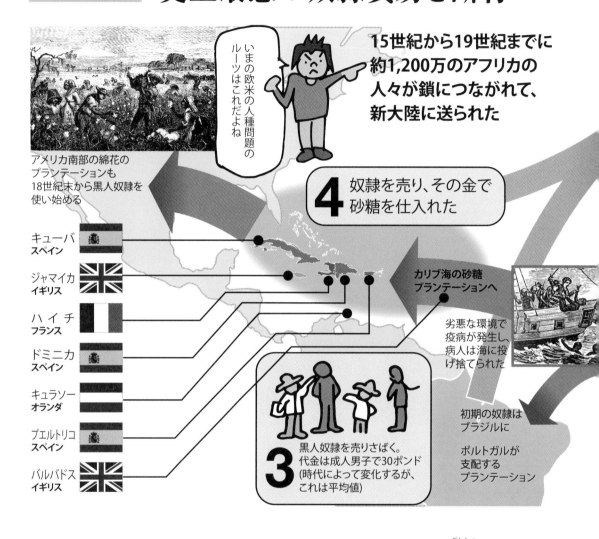

いまの欧米の人種問題の
ルーツはこれだよね

15世紀から19世紀までに
約1,200万のアフリカの
人々が鎖につながれて、
新大陸に送られた

アメリカ南部の綿花の
プランテーションも
18世紀末から黒人奴隷を
使い始める

4 奴隷を売り、その金で
砂糖を仕入れた

キューバ
スペイン

ジャマイカ
イギリス

ハイチ
フランス

ドミニカ
スペイン

キュラソー
オランダ

プエルトリコ
スペイン

バルバドス
イギリス

カリブ海の砂糖
プランテーションへ

劣悪な環境で
疫病が発生し、
病人は海に投
げ捨てられた

初期の奴隷は
ブラジルに

ポルトガルが
支配する
プランテーション

3 黒人奴隷を売りさばく。
代金は成人男子で30ポンド
(時代によって変化するが、
これは平均値)

▌西インド諸島が一大砂糖生産地に

　17世紀になると、スペインとポルトガル
の国力が弱まり、砂糖生産の舞台は、ブラ
ジルから西インド諸島に移ります。

　西インド諸島とは、南北アメリカに挟ま
れ、大西洋に隣接するカリブ海域に浮かぶ
島々のこと。コロンブスが最初に到達して以
来、スペイン領となり、一部の島では早く
からサトウキビ栽培が始まっていました。

　そこへイギリス、オランダ、フランスが

進出し、西インド諸島は分割されてしまい
ます。各国は競い合うようにして砂糖プラ
ンテーションを始め、黒人奴隷を調達して
働かせました。わざわざ遠くアフリカから
奴隷を連れてきたのは、島に住むインディ
オたちが、強制労働やヨーロッパから持ち
こまれた感染症によって次々に命を落と
し、人口が激減してしまったからです。

　ここから始まったのが、ヨーロッパ、ア
フリカ西海岸、西インド諸島の3点を結ん
だ「三角貿易」でした。

砂糖

イギリス

オランダ

フランス

スペイン

ポルトガル

奴隷貿易で繁栄するリバプール

奴隷船の建造で繁栄する造船業

奴隷貿易に関連する産業の興隆

一般市民も奴隷貿易に出資。利回り30%の有利な投資だった

多くの金持ちは、カリブ海の砂糖プランテーションにも投資した

砂糖を必要とした紅茶で、イギリスは中国でひどいことをするんだ

1 黒人王国に武器、鉄器具、綿布を売る

黒人王国は近隣の国を侵略し奴隷狩りを行い、奴隷商人に売って繁栄した

アクムワ王国　ダホメ王国　ベニン王国

多数の部族が混在したアフリカで、奴隷商人と武器取引をして王国が誕生した。ベナンのダホメ王国、ガーナのアクムワ王国、アシャンティ王国、ナイジェリアのベニン王国などが代表的。これらの王国も最後はヨーロッパ列強の攻撃で滅ぼされた

黒人王国による奴隷狩りで連行される家族

2 100トン程度の奴隷船に約400人が、ぎっしりと詰め込まれた

武器を売った金で奴隷を仕入れた

奴隷と砂糖を運んだ三角貿易

　ヨーロッパを出発した船は、鉄砲や鉄棒などを積んでアフリカに向かいます。これらの武器を、奴隷狩りをする現地人に売り、黒人奴隷を買い取ると、船は次に西インド諸島に渡り、奴隷と砂糖を交換します。アメリカ南部で綿花プランテーションが始まると、そこにも奴隷たちが送りこまれました。帰りの船には、植民地産の砂糖や綿花などが、山と積まれていました。

　三角貿易は、ヨーロッパの産業を発展させます。特にイギリスは、莫大な利益を得て繁栄し、この富が産業革命を促しました。人類史上、最も残酷とされる奴隷貿易は、19世紀にようやく廃止されますが、その爪痕はいまも残っています。ひとつは、欧米に根強く残る人種差別。もうひとつは、プランテーションがもたらしたモノカルチャーです。1種類の作物だけをつくり、ほかのものは輸入に依存する歪んだ経済構造から、いまも旧植民地は抜け出せずにいます。

イギリスは紅茶を求めて
中国最後の王朝を滅亡に導いた

17世紀には、フランスでティーサロンがブームとなった

1657年にお茶がイギリスに渡ったといわれている

イギリスの上流階級の婦人たちの間に、紅茶パーティが大流行した

1610年に、オランダが日本からアムスタルダムにお茶を伝えた

お茶はヨーロッパへ

紅茶の需要が急増

初期には緑茶が飲まれたが、しだいに紅茶が定着し、それとともに砂糖を入れる習慣もできあがった

その高級な紅茶が大衆化する

図は貧民宿で紅茶を飲む女性たち

お茶は中国の雲南省が起源らしい

お茶はカメリアシネンシスという常緑樹の葉を原料とする。この1種類の木からとれる茶葉が、製法によって緑茶にも紅茶にもなる

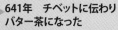

発酵茶	不発酵茶	後発酵茶
紅茶	緑茶（日本茶）	プーアール茶
半発酵茶 ウーロン茶		

大まかなお茶の種類
発酵の度合いによってさまざまなお茶になる

砂糖を入れることで、働くエネルギーを簡単に摂取でき、カフェインで覚醒もする紅茶は、工場労働者にとって朝食時や、休憩時間の必需品となった

中国ではお茶は神が与えてくれたもの

紀元前2700年ほど前の神話に、天地創造の神「炎帝神農氏」が、人間に与えたものと伝えられている

641年　チベットに伝わりバター茶になった

お茶とヤクの乳とバター、塩を専用の攪拌器で混ぜ合わせる

お茶はイスラム圏一帯に広がる

シルクロードの宿場には、茶を楽しむチャイハナ(喫茶店)がつくられた

日本ではお茶は茶道として大成する

中国のお茶がヨーロッパと出合う

　19世紀のイギリスで砂糖の需要が急速に高まったのは、紅茶に砂糖を入れて飲む習慣が庶民の間に広まったためでした。

　お茶の起源は、中国の雲南省とされています。最初は薬用として葉を食べていましたが、漢の時代になると、嗜好品としてお茶を飲む風習が生まれます。それがチベットなどの周辺地域に伝わり、シルクロードによってイスラム圏にも広まります。日本には、9世紀の平安時代に中国から遣唐使によって伝えられ、お茶を飲む習慣だけでなく、茶道という文化も生み出されました。

　ヨーロッパに最初にお茶が伝わったのは、この日本からでした。鎖国時代の1610年、長崎・平戸の商館から、オランダが日本茶を輸入したのが最初といわれています。やや遅れて中国からイギリスにお茶が伝わると、茶葉を発酵させた紅茶が、上流階級のたしなみとして定着し、やがて労働者の活力源として欠かせないものになりました。

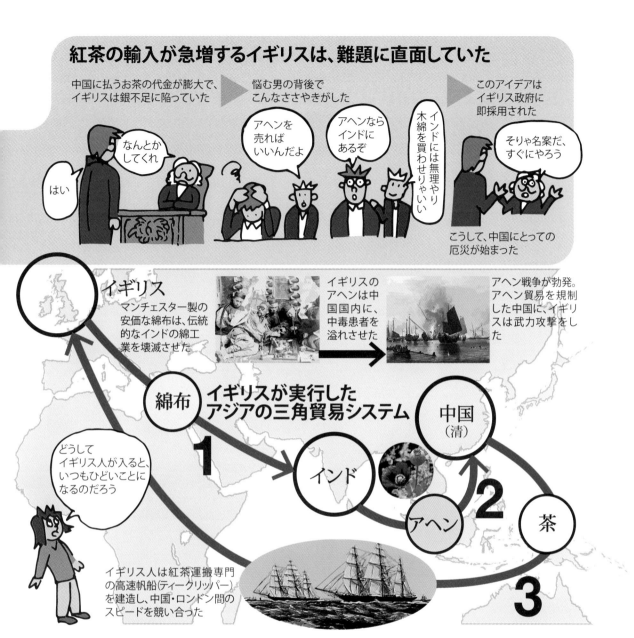

紅茶の輸入が急増するイギリスは、難題に直面していた

中国に払うお茶の代金が膨大で、イギリスは銀不足に陥っていた ▶ 悩む男の背後でこんなささやきがした ▶ このアイデアはイギリス政府に即採用された

なんとかしてくれ

はい

アヘンを売ればいいんだよ

アヘンならインドにあるぞ

インドには無理やり木綿を買わせりゃいい

そりゃ名案だ、すぐにやろう

こうして、中国にとっての厄災が始まった

イギリス
マンチェスター製の安価な綿布は、伝統的なインドの綿工業を壊滅させた。

イギリスのアヘンは中国国内に、中毒患者を溢れさせた

アヘン戦争が勃発。アヘン貿易を規制した中国に、イギリスは武力攻撃をした

綿布

イギリスが実行したアジアの三角貿易システム

中国（清）

1

どうしてイギリス人が入ると、いつもひどいことになるのだろう

インド

アヘン

2

茶

3

イギリス人は紅茶運搬専門の高速帆船（ティークリッパー）を建造し、中国・ロンドン間のスピードを競い合った

■ 紅茶が招いたアヘン戦争

　17世紀以来、中国を支配していたのは清朝でした。イギリスは、清から大量の紅茶を輸入しましたが、豊かな国だった清に、かわりに輸出するものがなく、支払い代金として大量の銀が流出。イギリスは、深刻な経済危機に陥ります。そこで目をつけたのが、インド産の麻薬の一種、アヘンです。当時イギリスの植民地だったインドから清にアヘンを運び、清で紅茶と交換し、本国イギリスに戻る。これが、新たな三角貿易の始まりでした。中毒性のあるアヘンは、清では禁じられていたのですが、イギリスは密貿易によって巨利を得、一方、清にはアヘン中毒患者が溢れるようになりました。

　ここから両国の緊張が高まり、1840年、ついにアヘン戦争が勃発。敗北した清は、しだいに力を失い、1912年に滅亡します。紅茶を求めるイギリスの野望が、紀元前2世紀から続いた中国王朝の歴史にとどめをさしたのです。

産業革命から始まった
食品の工業化が食生活を変える

新しい動力源の機械の誕生

1840年にローラー式製粉機が発明される。これで白い小麦が大量生産された

工場でのパンの大量生産が可能になった

新しい科学技術の登場

兵隊の食料を保存したい

ナポレオンの賞金をかけた公募に、フランスの菓子職人が応募

瓶詰加熱殺菌法を発明し採用される

イギリス人が日本の茶筒からひらめいた

鉄道という新しい輸送手段の登場

ナポレオン3世が、軍隊のための安価なバターの代用品を募集した

フランス人のイポリット・メージュ゠ムーリェが、ラードと牛乳を混ぜて固める技術を開発し、この代用バターをオレオマーガリンと名付けた

1927年にマーガリン製造会社マーガリン・ユニを設立。これが現在のユニリーバにつながっている

西部の牛の肉を東部に輸送できないか

カンザス州から12日かけて生きた牛を鉄道で運んでいた

ボストン
シカゴ
ニューヨーク
ワシントンD.C.
カンザス州アビリーン
テキサス州
東部の消費地

テキサスからカウボーイが、鉄道の駅まで牛を運ぶ

冷蔵貨車があれば、それは可能だ

グスタフス・フランクリン・スウィフト
シカゴの精肉業者。冷蔵貨車を開発し、牛肉の工場生産と全米への販売網を構築した

生きた牛を運ぶなんて、無駄だ。60%は骨と皮だ

牛は解体して肉だけを運べる

■ 工業製品になった食品

18世紀後半、イギリスで産業革命（さんぎょうかくめい）が起こります。蒸気機関（じょうききかん）の発明によって、機械化が始まり、大量生産時代が訪れました。

食品が工業製品となったのも、この時代から。その一例が、ヨーロッパの主食である小麦です。それまで小麦の製粉（せいふん）には、石臼（いし・うす）が使われ、動力が人力から家畜、風車、水車へと変わっても、小麦粉をつぶしたあとには殻（から）の破片などが混じっていました。

殻を取り除いたまっ白な小麦粉は、1840年にローラー式の製粉機が登場して初めて誕生します。小麦粉が大量生産されると、パンも工場でつくられるようになり、それまで富裕層（ふゆうそう）しか食べられなかった白いパンが、庶民（しょみん）の食卓にものぼるようになりました。

食品の保存技術も進歩します。フランスでは、ナポレオンが軍用食の保存法を公募（こうぼ）したことから、瓶詰（びんづめ）の加熱殺菌法（かねつさっきんほう）が誕生。これをヒントにしてイギリスで生まれた缶詰（かんづめ）は、その後アメリカに広まりました。

1920年頃、白くてフワフワの「ワンダーブレッド」が登場する

1870年にアメリカで缶切りが発明される

錫の缶を蒸気で殺菌して蓋をする「缶詰」を発明した

1898年にキャンベルが濃縮スープ缶詰を発売。1900年のパリ万博でゴールドメダルを獲得。缶詰スープが一般化する

「冷たいキャンベルスープでランチを」と呼びかけるキャンベルの広告。テーブルに白いパンのサンドイッチがある。これに塗られているのはマーガリンだろうか

アメリカで発売された「オレオマーガリン」の広告。下記のスウィフト社が発売している

こうして、アメリカ式食生活が世界を席巻していくんだね

冷蔵貨車の成功は、生鮮食料品の大量・長距離輸送を可能とし、私たちの食生活を大きく変えることになった

最初の冷蔵貨車は1851年に運行されたが、技術的な問題で中止され、それ以降も試行錯誤が続いた。1878年に、スウィフトが冷蔵貨車を完成させ、消費地まで直接届けることに成功した

スウィフト社は冷蔵貨車による全米販売網を構築した。シカゴの企業もこれに追従し、大手5社が1925年には全米の食肉総売上の67%を占め、現在の食肉産業の寡占状態の基礎を作った

▌牛肉輸送から始まった冷蔵貨車

　蒸気船や蒸気機関車の登場は、大量の食品を遠くまで運ぶことを可能にします。これによって躍進したのが、食肉産業です。

　アメリカでは、1850年代から鉄道網が拡大。当初は、西部の牧場から、人口が集中する東部の都市まで、鉄道で12日間かけて生きた牛を運んでいました。しかし、一度に貨車に積める牛の数には限りがありますし、輸送中も世話をしなくてはなりません。これでは無駄が多い、と気づいた精肉業者スウィフトは、あらかじめ牛を解体して肉にし、冷蔵貨車で送ることを思いつきます。試行錯誤の末に、冷蔵貨車が完成したのは、1878年のこと。これが、世界で最初に実用化された冷蔵貨車でした。

　食品の加工・保存・冷蔵技術と輸送網の発達により、日もちのしない生鮮食品も、全国はもちろん、国外にも送り出されるようになります。それとともに、人々の食生活も変わっていきました。

戦後の人口増加が促した
食料生産の急速な近代化

養鶏

成長
ホルモン　ビタミン
抗生物質

産卵量の激増
かつては年間80個程度、
それが300個にも

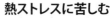
egg

chicken

鶏肉出荷の短期化
かつては半年かかっ
たのが、6-7週間に

ビタミンDの発見
ビタミンDの投与で、
屋内飼育が可能に
なった

品種改良
ブロイラー種は、
成長速度が3倍

体重を支えられ
ない脚

養豚

ビタミン剤
各種
サプリメント
抗生物質　ホルモン剤

熱ストレスに苦しむ
汗腺の発達していない豚は、体温調節
のため泥浴びが必要。それのできない
密集飼育では温度管理が重要

伝染病のリスク
穀物と高蛋白質源（大豆・肉骨
粉）の配合飼料で飼育される。
密集のため伝染病が急速に
蔓延するリスクがある

Pork

養牛

ミネラル　抗生物質
ビタミン　化学防腐剤　発酵物質

Mllk

薬漬けの牛たち
集約飼育は動物への
残虐な行為として、近
年は多くの批判が寄
せられている

beef

工業としての畜産

低コスト
利益の最大化
↓
密集飼育
品種改良
薬物依存

工業製品になった家畜たち

　第二次世界大戦後、世界人口は飛躍的に増加し、大量の食料を確保することが急務となりました。食料を増産するために、食料生産現場では、急速に近代化が進みます。
　欧米先進国では、家畜を効率よく育てるために、1960年代から集約畜産が始まります。屋外で放し飼いにしていた牛や豚を、密閉された建物に多数収容することで、管理しやすくなり、大規模経営が可能になり

ました。さらに、病気を防ぎ、成長を促進するために、ビタミンやホルモン、抗生物質などを与え、より多くの食肉を短期間で生産できるようになります。
　成長を早めるために、品種改良も行われました。よく知られているのが、短期間で成長するように改良された食用鶏ブロイラーです。鶏は、それまで卵のために飼われ、肉はあまり食べられていなかったのですが、アメリカでブロイラー生産が始まったことで、世界中に鶏肉が広まっていきました。

この農業の試みは「緑の革命」と呼ばれた

アジアでの急激な人口増加
そのための食料の増産が急務

ノーマン・ボーローグ（1914~2009年）
アメリカの農学者。小麦などの高収穫品種の
開発と、化学肥料、農薬の併用による食料の
増産に寄与。1970年のノーベル平和賞受賞

産業としての農業

品種改良

化学肥料・農薬の多用

食料の増産

メキシコでの小麦の実験とその成果

在来種に
多量の肥
料を施すと

肥料

丈が伸びてしまい、
雨風で倒れてしまう

そこで、丈が短く
多収穫の日本の
小麦農林10号を
かけ合わせた

丈が短く多収穫
の新しい小麦が
誕生した

窒素肥料

小麦の生産量の伸び

メキシコは現在では
小麦の輸出国になっている

```
5000
4500   メキシコ
4000  Kg/1ヘクタール
3500
3000              インド
2500
2000
1500          パキスタン
1000
 500
   1950  1960  1970  1980  1990  2000
```

フィリピンの米の実験とその成果

小麦と同様の
研究が米でも
行われた

IR8

丈が低く多収穫なIR8と
いう品種が開発された。
農薬（除草剤）と整備さ
れた灌漑が必要

窒素肥料

しかし、農薬の多用
によって水田の生
物が死滅し、害虫が
大量に発生した

害虫に強い
IR36が開発された

IR36

結局、
イタチごっこ
みたいだ

インドの「緑の革命」は成功したが

インドはイギリス統治時代から、
度重なる飢饉に苦しめられてきた

1960年代にも深刻な飢饉が発生
していた。そこで、インド政府は
IR8を採用した

1940年代の飢饉の様子の記録

IR8

肥料なし
5t

肥料あり
10t

ヘクタールあたりの収量が倍増した

現在のインドは
小麦の生産量世界2位
米の生産量も世界2位
を占めている

現在、この「緑の革命」
は、化学肥料と農薬多
用農業として批判され
てもいるが・・・

■ 緑の革命が飢餓を救う

　農業分野でも、主食の小麦や米、トウモ
ロコシなどの増産に、力が注がれます。こ
のとき大きな役割を果たしたのが、アメリ
カの農学者ボーローグです。

　彼は、品種改良、化学肥料や農薬の使用、
灌漑（かんがい）設備の整備などによる新しい農業技術
を提唱し、人口が急増したアジアなどで、
農業指導に当たりました。このため、穀物（こくもつ）
の生産量が飛躍的に高まり、世界的な食料
危機は回避（かいひ）されます。その功績によって、
ボーローグは、1970年にノーベル平和賞
を受賞しました。

　この新しい農業の試みは、「緑の革命」と
呼ばれ、その後の農業のあり方を大きく変
えました。自然任せで損失も多かった農業
は、管理の行き届いた近代的農法によって、
安定した収穫量をあげるようになりました。

　しかし、酪農（らくのう）と農業の近代化は、自然の
産物を工業製品に変え、食の安全や自然環
境への影響など、諸問題を残しました。

アメリカのファストフードが
1960年代以降、世界を席巻

みんな大好き!!

マクドナルド
が出店して
いる国々
灰色が未出店の国

マクドナルドの出店数は36,368店舗
ケンタッキーフライドチキンが19,420店舗
ピザハットが13,605店舗
バーガーキングが14,372店舗
を展開している

**なぜアメリカの
ファストフードが
世界商品となったのだろうか?**

- イギリス系
- ドイツ系
- イタリア系
- ヒスパニック系
- メキシコ系
- アフリカ系
- 白:その他

その第1の理由

アメリカは移民による多民族
国家で、17の主要民族で構成
されている。
このみんなが共通して好きな
味の食べ物が支持される

ドイツ系 / イギリス系 / イタリア系 / アフリカ系 / アイルランド系 / ヒスパニック系
**共通に
好きなもの**

規格化された味とサービス

　今日、国や民族の違いを問わず、世界中の人々に愛されている食べ物があります。マクドナルドのハンバーガーに代表されるアメリカ発のファストフードです。

　ファストフードとは、調理に時間をかけず、手早く食べられる食べ物をさします。ファストフード店の先駆けは、1921年創業のハンバーガー・チェーン、ホワイト・キャッスルだといわれていますが、最も成功したのは、マクドナルドです。

　1940年、マクドナルド兄弟は、カリフォルニア州にレストランを開店。1948年には、大量生産の工業製品と同じように製造工程を管理するシステムとセルフサービスを導入し、格安のハンバーガーを提供して人気を集めます。これに目をつけたのが、ビジネスマンのレイ・クロック。彼は、フランチャイズ方式によって加盟店を増やしていく経営法を提案し、最終的にはマクドナルドの経営権を買収。1960年代以降、

1970年代に ヨーロッパに進出

ビジネスマンの
レイ・クロックが、
マクドナルドの
フランチャイズ
権を獲得

1965年には全米で 700店舗に

アメリカ
資本主義の象徴

科学的 生産管理の父

フレデリック・
テイラー
(1856~1915年)
アメリカの経営
学者・技術者

工場の生産設備と人員と生産
工程を、科学的に管理する実践
理論を構築した。マクドナルドは
この理論をファストフードの製
造に応用した

マクドナルドの製造システムの発想は「科学的生産管理法」

1940年、マクドナルド兄弟が「マクドナルド」をオープン

その結果誕生したのが
American fast food

その 第2の理由
イギリス・ドイツ・アフリカ・
アイルランド系が全体の約
58%を占めている。
つまり、素朴な料理の多い
国の人たちに支持される

その 第3の理由
みんな開拓者だった。

家族全員で働いて、
いつも腹ペコ。

だから質より量の食事

その 第4の理由
味とサービスの標準化が
なされた。
広大な国土と、多様な食
文化をもつアメリカ人は、
どこでも安心できる標準
化された味を求めた

世界に進出し、世界最大のファストフード・チェーンに育てあげたのです。

食のグローバル化とその反動

ハンバーガーだけでなく、フライドチキンやピザなど、アメリカのファストフードが世界の大衆食となったのは、なぜでしょう？　その理由のひとつは、アメリカはそもそも移民によって成立した多民族国家だからです。異なる食文化をもつ移民たちが、共通して好む味であれば、世界に受け

入れられるのもうなずけます。世界中のどこで誰がつくっても、同じ味とサービスを提供できるシステムも、ファストフードのグローバル化を促しました。

その一方で、高カロリーのファストフードは、世界の肥満率（ひまんりつ）を高めているという批判もあります。また、1980年代にはマクドナルドのローマ進出を機に、イタリアで「スローフード」運動が始まり、画一的（かくいつてき）なファストフードに対し、伝統的な食文化を見直そうとする動きが世界に広まっています。

Part 2 人と食の大問題 ①

気候変動の影響で食料生産地が打撃を受ける

温暖化と自然災害が農業を直撃

人類史とともに発展してきた食の世界に、いま、さまざまな危機が忍び寄ってい

気温の上昇によって、世界で起こると予想されていること

 干ばつ

 森林火災

 水不足

 不作

 生産地の北上

 風水害

 豊作

北極海の氷が溶ける　　海面が上昇する　　永久凍土が溶ける

 産地の北上でカナダが豊作に

 北米、中西部が干ばつに

北米、トウモロコシ地帯が不作に

 南米の乾燥地帯が一層の干ばつで砂漠に

 ブラジルの大豆が不作に世界の食料危機の原因に

地中海地域を干ばつ・熱波が襲う

 アフリカ北部は干ばつに襲われる

サハラ以南地区は一層の水不足に襲われる

 雨水に頼る農業は最大50%の収量減

 ロシア北部は豊作に

中央アジアでは穀物生産が30%減少

中国中部は風水害が激しくなる。日本も同様

 インド北部は干ばつで小麦が不作に

 アジア全域で都市の水不足と風水害の激化

 オーストラリア乾燥地帯は一層の干ばつに

オーストラリア東部地域、ニュージーランドでは森林火災が

いま貧しい国が、一層ひどいことになりそうだ…

ます。そのひとつが、気候変動の影響です。

18世紀後半の産業革命以来、二酸化炭素（CO₂）などの温室効果ガスが大量に排出されるようになり、地球温暖化が進んでいます。気温が上昇すると、農作物の生育不良や病気・害虫の発生を招き、収穫量が減ってしまいます。そのため、適正な気温を求めて、農作物の生産地が緯度の高いほうへ（北半球なら北へ）と移動。新たな生産地が生まれる反面、従来の生産地は衰退の危機にさらされてしまいます。

また、気候変動によって、干ばつ、熱波、洪水、森林火災などの自然災害が多発し、世界の農業に大きな打撃を与えています。災害対策が遅れている途上国では、農業被害が特に深刻化しています。日本でも、大型台風や集中豪雨による水害が相次ぎ、農林水産業への被害が増加。2019年には、令和元年東日本台風（台風19号）などにより、被害額が4,883億円にも達しました。

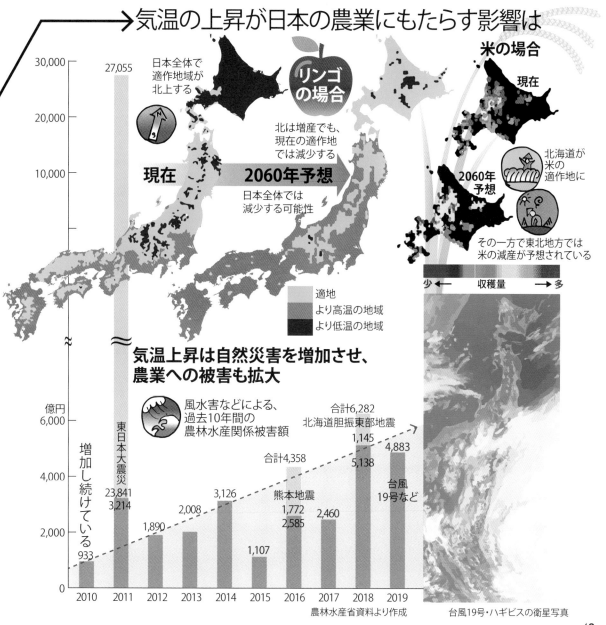

気温の上昇が日本の農業にもたらす影響は

リンゴの場合
日本全体で適作地域が北上する

現在　2060年予想

北は増産でも、現在の適作地では減少する

日本全体では減少する可能性

適地
より高温の地域
より低温の地域

米の場合
現在
2060年予想

北海道が米の適作地に

その一方で東北地方では米の減産が予想されている

少 ← 収穫量 → 多

気温上昇は自然災害を増加させ、農業への被害も拡大

風水害などによる、過去10年間の農林水産関係被害額

増加し続けている

年	被害額（億円）
2010	933
2011 東日本大震災	27,055 / 23,841 / 3,214
2012	1,890
2013	2,008
2014	3,126
2015	1,107
2016 合計4,358 熊本地震	1,772 / 2,585
2017	2,460
2018 合計6,282 北海道胆振東部地震	1,145 / 5,138
2019 台風19号など	4,883

農林水産省資料より作成

台風19号・ハギビスの衛星写真

43

穀物生産地の水不足が
食料危機の引き金を引く

世界の穀物生産地を襲う干ばつ

世界の水使用量のうち、農業用水が占める割合は、じつに約7割にも及びます。農作物を育てるには、多くの水が必要ですが、水は再生可能な資源として、地球上を循環しているため、世界全体で見れば十分な量があります。ところが、いま、世界各地で水不足が懸念されているのです。

最大の原因は、地球温暖化です。もともと雨の少ない乾燥地帯では、ますます降雨量が減り、干ばつによる農業被害が深刻化しています。特に打撃が大きいのは、小麦、トウモロコシ、大豆、米といった穀物です。

世界の主要農業生産地は、世界の乾燥地帯と重なりあっている

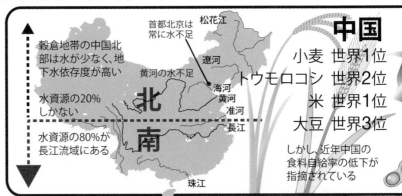

水不足の原因

1 地球温暖化

温暖化が世界の乾燥地帯を、より一層乾燥させ、森林火災も多発する

2 地下水の枯渇

雨の不足する農業地帯は地下水に頼るが、その地下水が枯渇の危機にある

穀倉地帯の中国北部は水が少なく、地下水依存度が高い

水資源の20%しかない

水資源の80%が長江流域にある

首都北京は常に水不足
松花江
遼河
黄河の水不足
海河 黄河 淮河
長江
珠江

中国

小麦 世界1位
トウモロコシ 世界2位
米 世界1位
大豆 世界3位

しかし、近年中国の食料自給率の低下が指摘されている

インド

小麦 世界2位
米 世界2位

近年は、インド全域の40%で干ばつ被害が発生。また地下水の過剰取水で、穀倉地帯の地下水の枯渇が予想されている

オーストラリア

オーストラリアは、かつては小麦の輸出大国だった。現在は干ばつの影響で生産量が減少している

干上がるオーストラリア

2019年に深刻な干ばつが襲った地域。このために森林火災が多発し多くの野生動物が被害にあった

■ 超乾燥
■ 乾燥
■ 半乾燥

近年、穀物の主要生産地であるアメリカ、中国、インド、オーストラリアなどで、干ばつ被害が相次ぎ、穀物を輸入に頼っている国々にも、深刻な影響を与えています。

農業用の地下水が枯渇する？

水不足のもうひとつの原因は、人為的に引き起こされた地下水の枯渇です。農地に人工的に水を供給することを「灌漑」といいますが、水の豊富な日本では、川や溜め池などから水を引く灌漑方法が主流です。

それに対し、アメリカ中西部、インド、中東などの乾燥地帯では、地下水をくみ上げる灌漑が行われています。地下水は雨水がしみこんで蓄えられたものなので、新たに雨が降らなければ、増えることはありません。ところが、強力なポンプの普及によって、雨水で補給される以上に大量の地下水がくみ上げられるようになり、水源が涸れ始めています。このまま地下水の過剰なくみ上げが続くと、水不足によって、世界的な食料危機が起こりかねません。

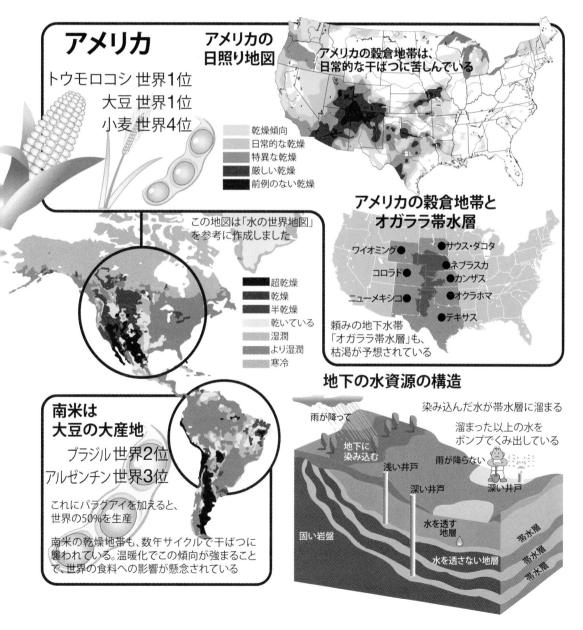

アメリカ

トウモロコシ 世界1位
大豆 世界1位
小麦 世界4位

アメリカの日照り地図

アメリカの穀倉地帯は、日常的な干ばつに苦しんでいる

乾燥傾向
日常的な乾燥
特異な乾燥
厳しい乾燥
前例のない乾燥

この地図は「水の世界地図」を参考に作成しました

超乾燥
乾燥
半乾燥
乾いている
湿潤
より湿潤
寒冷

アメリカの穀倉地帯とオガララ帯水層

ワイオミング●　●サウス・ダコタ
コロラド●　●ネブラスカ
●カンザス
ニューメキシコ●　●オクラホマ
●テキサス

頼みの地下水帯「オガララ帯水層」も、枯渇が予想されている

南米は大豆の大産地

ブラジル 世界2位
アルゼンチン 世界3位

これにパラグアイを加えると、世界の50%を生産

南米の乾燥地帯も、数年サイクルで干ばつに襲われている。温暖化でこの傾向が強まることで、世界の食料への影響が懸念されている

地下の水資源の構造

雨が降って
地下に染み込む
浅い井戸
深い井戸

染み込んだ水が帯水層に溜まる
溜まった以上の水をポンプでくみ出している
雨が降らない
深い井戸

固い岩盤
水を透す地層
水を透さない地層
帯水層
帯水層
帯水層

Part 2

人と食の
大問題
③

いま問われる肉食
水不足や温暖化を促す原因に

大量の水を消費する畜産

世界の牛肉消費量は、年間約6,000万トン。肉の消費量が増大している一方で、欧米ではビーガンと呼ばれる食事スタイルが注目を集めています。これは、肉を食べない菜食主義をさらに徹底し、魚、乳製品、卵など、動物性食品をいっさい食べないというもの。以前から、動物福祉の観点から肉食への批判はありましたが、いま新たに問われているのが、地球環境への影響です。

p44〜45で見たように、世界では局地的な水不足が問題になっています。一番下の図は、製品の生産から廃棄まで、さまざ

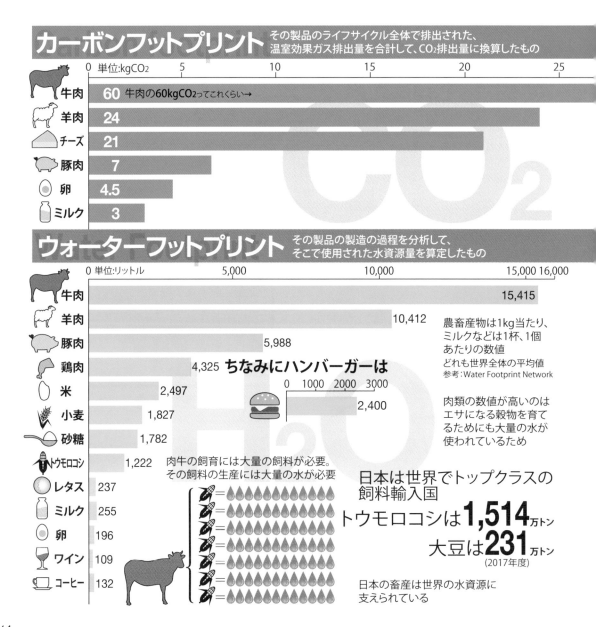

カーボンフットプリント その製品のライフサイクル全体で排出された、温室効果ガス排出量を合計して、CO_2排出量に換算したもの

0 単位:kgCO₂ 5 10 15 20 25

牛肉 60 牛肉の60kgCO₂ってこれくらい→
羊肉 24
チーズ 21
豚肉 7
卵 4.5
ミルク 3

ウォーターフットプリント その製品の製造の過程を分析して、そこで使用された水資源量を算定したもの

0 単位:リットル 5,000 10,000 15,000 16,000

牛肉 15,415
羊肉 10,412
豚肉 5,988
鶏肉 4,325
米 2,497
小麦 1,827
砂糖 1,782
トウモロコシ 1,222
レタス 237
ミルク 255
卵 196
ワイン 109
コーヒー 132

ちなみにハンバーガーは
0 1000 2000 3000
2,400

農畜産物は1kg当たり、ミルクなどは1杯、1個あたりの数値
どれも世界全体の平均値
参考:Water Footprint Network

肉類の数値が高いのはエサになる穀物を育てるためにも大量の水が使われているため

肉牛の飼育には大量の飼料が必要。その飼料の生産には大量の水が必要

日本は世界でトップクラスの飼料輸入国
トウモロコシは**1,514**万トン
大豆は**231**万トン
(2017年度)

日本の畜産は世界の水資源に支えられている

46

まな工程で使われる水の全体量を示した「ウォーターフットプリント（水の足跡）」の数値です。食品のなかで、牛肉を筆頭とした肉類の数値が特に高くなっているのは、家畜の飼育だけでなく、エサとなる穀物などの生産にも大量の水を必要とするためです。

牛のゲップでメタン発生

一方、製品の生産から廃棄までの工程で、地球温暖化を促進する温室効果ガスがどれだけ排出されているかを示すのが、「カーボンフットプリント」です。こちらもやはり肉類の数値が高く、なかでも牛肉は突出しています。牛などの反すう動物は、ゲップによって、CO_2よりも濃度の高いメタンという温室効果ガスを吐き出すからです。

さらに、畜産は広大な土地を要するため、CO_2を吸収してくれる森林の伐採が進み、温暖化が促進されてしまいます。これらのことから、国連のIPCC（気候変動に関する政府間パネル）は、気候変動対策のためにも肉食を減らすべきだと提言しています。

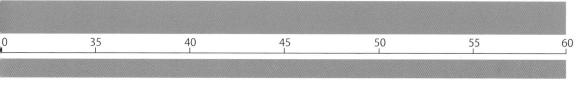

0		35	40	45	50	55	60

世界の牛肉消費国トップ10

万トン

米国農務省データ　2020年

人間が牛肉を食べることが、大きな問題のようだ

国	万トン
アメリカ	1261
中国	952
EU	775
ブラジル	760
インド	260
アルゼンチン	239
メキシコ	187
パキスタン	176
ロシア	172
日本	131
カナダ	105

牛肉のカーボンフットプリントの96%が、土地と飼料生産で生じている

肉牛の飼育には広大な牧場と牧草地、広大な畑が必要。このために世界の森林が減少している

■ 50万ヘクタール以上減少
■ 25万以上〜50万未満
□ 50万以上〜25万未満

赤い部分は森林面積が50万ヘクタール以上減少した国

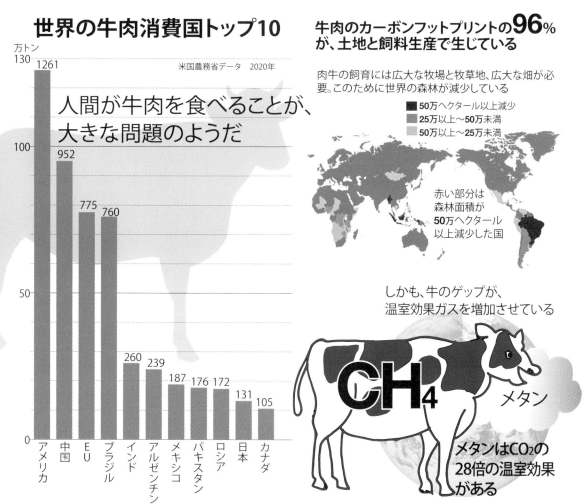

しかも、牛のゲップが、温室効果ガスを増加させている

CH_4　メタン

メタンはCO_2の28倍の温室効果がある

自然環境を汚染する
食品の容器包装プラスチック

使い捨て生活が生む大量のごみ

日本でも2020年7月からレジ袋の有料化が始まったように、世界ではプラスチックの使用を減らす取り組みが進んでいます。世界中の海に年間推定800万トンものプラスチックごみが流れ出し、生態系に悪影響を与えていることが発覚したためです。

プラスチック製品のなかでも特に問題になっているのが、世界のプラスチック生産量の3分の1以上を占める容器や包装です。その多くは、食品に使われています。

セルフサービスのスーパーやコンビニの普及によって、店頭に並んだ商品のなかか

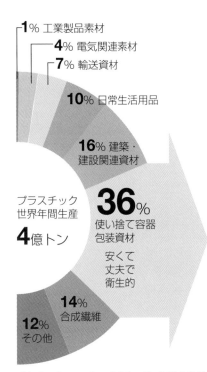

- **1%** 工業製品素材
- **4%** 電気関連素材
- **7%** 輸送資材
- **10%** 日常生活用品
- **16%** 建築・建設関連資材
- プラスチック世界年間生産 **4億トン**
- **36%** 使い捨て容器包装資材 安くて丈夫で衛生的
- **14%** 合成繊維
- **12%** その他

私たちの便利な生活が生み出しているプラスチック製品

32%のプラ容器が回収されずに消えている どこへ?

世界のプラ容器包装ごみ **14,100万トン**のうち(2015年)

| 埋め立て **40%** | 流出 **32%** | 焼却 **14%** | リサイクル **14%** |

川から

動物にひどいことをして、結局人間に戻ってくる

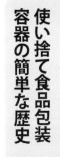

使い捨て食品包装容器の簡単な歴史

始まりはアメリカ 1950年代
スーパーマーケットが台頭

セルフサービスで、商品はお客が自分で取る

だから商品は

派手な色で

目立つデザインで

手に取らせる

しかも経費が安い

商品の個別包装にプラスチックフィルムが採用される

バラ売りだった生鮮食品も個別パッケージされた

ダウ・ケミカル社が食品フィルムを開発

食品トレイに発泡スチロールを採用

ら、消費者が自分で選べるよう、商品は小分け包装されるようになりました。食品の品質を保つために、密封性に優れたプラスチック製フィルムが開発され、さらに、魚や肉用の発泡トレイ、インスタント食品用のカップ、レトルト食品用のレトルトパウチ、飲料用のペットボトルなどが次々と登場。ファストフード店が誕生すると、プラスチック製のカップやストロー、スプーンなどが大量に使われるようになりました。

　これらはすべて一回限りの使い捨てです。リサイクルされるのは、ほんの一部にすぎず、ずさんなごみ管理やポイ捨てなどによって、多くのプラごみが、川から海へと流れ出しているのです。

　プラスチックは、自然界では分解されない人工素材です。粉々に砕けても、その性質は変わらないうえ、海中の有害物質を吸着することがわかっています。魚がプランクトンと間違えて食べてしまうと、食物連鎖によって濃度を高めた有害物質が、最終的には私たちの口に入る恐れもあるのです。

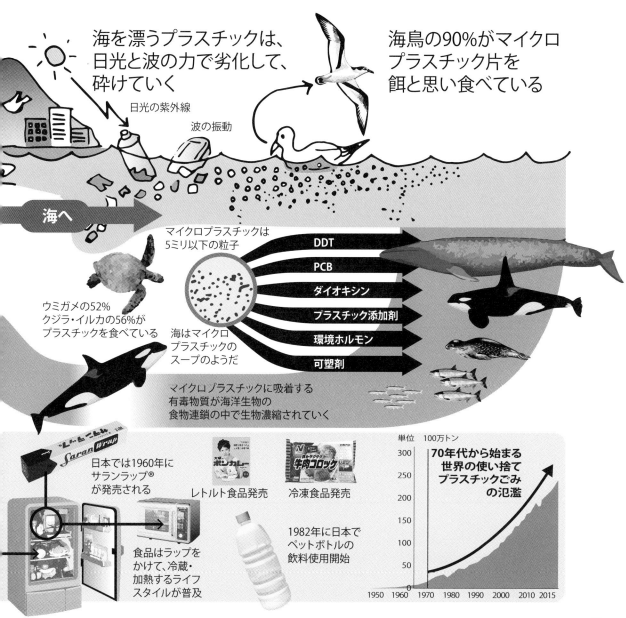

海を漂うプラスチックは、日光と波の力で劣化して、砕けていく

海鳥の90%がマイクロプラスチック片を餌と思い食べている

日光の紫外線

波の振動

海へ

マイクロプラスチックは5ミリ以下の粒子

DDT
PCB
ダイオキシン
プラスチック添加剤
環境ホルモン
可塑剤

ウミガメの52%クジラ・イルカの56%がプラスチックを食べている

海はマイクロプラスチックのスープのようだ

マイクロプラスチックに吸着する有毒物質が海洋生物の食物連鎖の中で生物濃縮されていく

日本では1960年にサランラップ®が発売される

レトルト食品発売

冷凍食品発売

食品はラップをかけて、冷蔵・加熱するライフスタイルが普及

1982年に日本でペットボトルの飲料使用開始

単位　100万トン

70年代から始まる世界の使い捨てプラスチックごみの氾濫

300
250
200
150
100
50
0

1950　1960　1970　1980　1990　2000　2010　2015

世界の食料の3分の1が
食べられずに捨てられている‼

食料の無駄は温暖化につながる

国連食糧農業機関（FAO）によれば、世界では、生産された食料の約3分の1に当たる年間約13億トンもの食料が、廃棄されているといいます。なぜそんなに大量の食料が捨てられてしまうのでしょう？

すぐに思い浮かぶのは、家庭や飲食店での食べ残し、食料品店での売れ残りなどです。FAOは、これらを「食料廃棄」と呼ぶ一方、生産・貯蔵・輸送・加工の段階で捨てられるものを「食料ロス」と呼んで区別しています。店頭に並ぶ前に、形をそろえるためにカットされたり、品質や見た目が

こうして、食べ物は捨てられている

これは、もう食べられない

ほんとに、もったいないよ

世界では栄養不足で苦しむ人々がいる

お腹が空いたよー

約**7**億人が食料不足に苦しむのに

年間**13**億トンもの食料が、世界中で捨てられています

FAO

食品は生産から消費までの、さまざまな段階で捨てられている

過剰生産されて

収穫技術が未熟

運搬・貯蔵インフラが未整備

加工施設の未整備、加工技術の不足

マーケティング力の不足

冷蔵施設の未整備

高い商品選択基準見た目で選ぶ消費者

多すぎる商品の中で埋没

飽食の消費者

簡単に捨てられる食品

国連のSDGsの目標12、ターゲット12.3でこう提言している

2030年までに、小売・消費レベルにおける世界全体の1人当たりの食料の廃棄を半減させ、収穫後損失などの生産・サプライチェーンにおける食料の損失を減少させる

悪くて捨てられたりするものが多いのです。SDGsの目標12「つくる責任つかう責任」でも、食料ロスの削減と食料廃棄の半減をターゲットのひとつに掲げています。

　特に欧米先進国では、食料ロス・食料廃棄ともに多く、1人当たり年間300kg近くの食料が捨てられています。一方、途上国では、消費段階で捨てられることは少ないのですが、冷蔵設備や加工施設の不備によって、生産の初期段階で貴重な食料が損なわれていることが問題視されています。

　食料ロス・食料廃棄は、食料が無駄になるだけではありません。食料をつくって消費者に届けるためには、大量の水やエネルギーが使われ、その過程で大量のCO_2が排出されています。また、食品は水分を多く含むため、ごみとして燃やすときに、多くのエネルギーを必要とし、その分、多くのCO_2を排出します。食品の無駄を減らすことは、水やエネルギーの無駄をなくし、CO_2の排出量を減らす気候変動対策のひとつでもあるのです。

世界の地域別に見た、1人当たりの食料ロス・廃棄の発生量

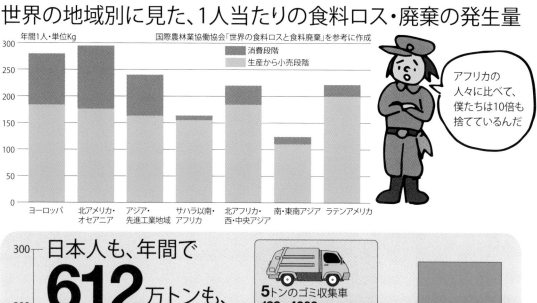

年間1人・単位Kg　　　国際農林業協働協会「世界の食料ロスと食料廃棄」を参考に作成

凡例：消費段階／生産から小売段階

（横軸）ヨーロッパ／北アメリカ・オセアニア／アジア・先進工業地域／サハラ以南アフリカ／北アフリカ・西・中央アジア／南・東南アジア／ラテンアメリカ

アフリカの人々に比べて、僕たちは10倍も捨てているんだ

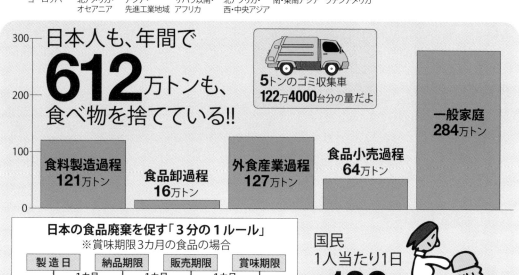

日本人も、年間で**612**万トンも、食べ物を捨てている!!

5トンのゴミ収集車 122万4000台分の量だよ

食料製造過程 121万トン

食品卸過程 16万トン

外食産業過程 127万トン

食品小売過程 64万トン

一般家庭 284万トン

国民1人当たり1日 約**132**g

年間 約**48**Kgの食品を捨てている

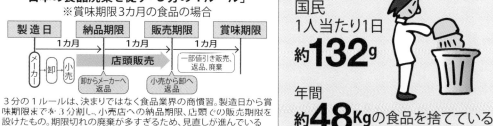

日本の食品廃棄を促す「3分の1ルール」
※賞味期限3カ月の食品の場合

製造日 —1カ月→ 納品期限 —1カ月→ 販売期限 —1カ月→ 賞味期限

店頭販売

一部値引き販売、返品、廃棄

卸からメーカーへ返品／小売から卸へ返品

3分の1ルールは、決まりではなく食品業界の商慣習。製造日から賞味期限までを3分割し、小売店への納品期限、店頭での販売期限を設けたもの。期限切れの廃棄が多すぎるため、見直しが進んでいる

11人に1人が飢えている 世界に広がる食の格差

深刻化するアフリカの飢餓

　膨大な量の食品が捨てられている一方で、世界中で約6億9,000万人もの人々が、飢えに苦しんでいます。SDGsの目標2に掲げられているのが、この飢餓の撲滅です。

　国連が発表した2020年版「世界の食料安全保障と栄養の現状」報告書によれば、現在、飢餓人口の過半数を占めるのはアジアですが、急速に飢餓が広まっているのはアフリカです。このままでは、2030年にはアフリカだけで4億人以上が飢餓に陥る、と報告書は警鐘を鳴らしています。

　飢餓の原因は、植民地時代に端を発する

捨てるほど食料はある、なぜ人々が飢えるのか

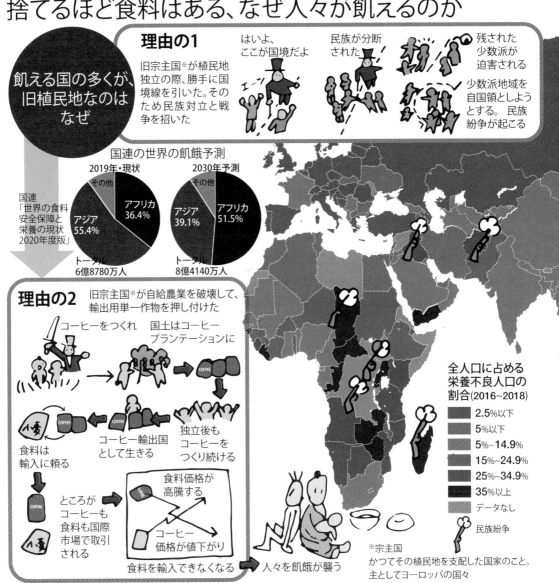

飢える国の多くが、旧植民地なのはなぜ

理由の1

旧宗主国※が植民地独立の際、勝手に国境線を引いた。そのため民族対立と戦争を招いた

はいよ、ここが国境だよ

民族が分断された

残された少数派が迫害される

少数派地域を自国領としようとする。民族紛争が起こる

国連「世界の食料安全保障と栄養の現状2020年度版」

国連の世界の飢餓予測

2019年・現状
その他
アフリカ 36.4%
アジア 55.4%
トータル 6億8780万人

2030年予測
その他
アジア 39.1%
アフリカ 51.5%
トータル 8億4140万人

理由の2

旧宗主国※が自給農業を破壊して、輸出用単一作物を押し付けた

コーヒーをつくれ　国土はコーヒープランテーションに

COFFEE

独立後もコーヒーをつくり続ける

コーヒー輸出国として生きる

食料は輸入に頼る

COFFEE

ところがコーヒーも食料も国際市場で取引される

食料価格が高騰する

コーヒー価格が値下がり

食料を輸入できなくなる

人々を飢餓が襲う

全人口に占める栄養不良人口の割合(2016~2018)

2.5%以下
5%以下
5%~14.9%
15%~24.9%
25%~34.9%
35%以上
データなし

民族紛争

※宗主国
かつてその植民地を支配した国家のこと。主としてヨーロッパの国々

貧困や紛争、気候変動による不作など、さまざまです。さらに新型コロナウイルスの世界的流行によって、食料供給が停滞する恐れがあり、2020年だけで飢餓人口が最大1億3,200万人増えると試算されています。

先進国でも食の格差

NPOフィーディング・アメリカの調べによれば、GDP（国内総生産）世界第1位のアメリカでさえ、3,700万人以上が食べ物に困っているといいます。これを人口比で見ると、じつに9人に1人の割合です。その多くは、子どもや失業者、働いていても低所得しか得られないワーキングプアと呼ばれる人々で、フードバンクやボランティアの食事支援に頼っています。

日本でも、近年「子どもの貧困」が問題になっており、子どもたちに食事を提供するため、全国に3,700カ所を超える子ども食堂が誕生しています。途上国ほど深刻ではなくても、食の格差は、先進国の間でも広がっているのです。

先進国の貧困が
新しい飢えを生み出している

アメリカでも増加する貧困と飢え
国民の9人に1人
3,700万人が食事の援助を必要としている

世界の飢餓には
アメリカの巨大穀物メジャーの存在がある
詳しくは次のページ

日本で増加する「子どもの貧困」を生む「相対的貧困※」

雇用状況の悪化によって

児童扶養手当の改正によって

（グラフ）
年	1997	2000	2003	2006	2009	2012	2015	2018
(%)	13.4	14.4	13.7	14.2	15.7	16.3	13.9	13.5

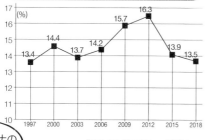

新型コロナの流行で、新しい飢餓が起こるのが心配だ

「相対的貧困率※」が増加
全体の15.4%、1人親世帯では48.1%が貧困に苦しむ

7人に1人の子ども達が飢えと栄養失調に苦しんでいる

※相対的貧困
その国の等価可処分所得の中央値の半分以下の経済状況をいう

中南米諸国の飢えは、典型的な植民地プランテーション農業の負の遺産

ボリビア
政情が混乱し、食料供給を妨げている

天候不良・不作による食料不足

アルゼンチン
大豆・トウモロコシの輸出に特化した農業政策により、天候により不作となると食料危機の恐れがある

食料自給できない国は輸入に頼り
巨大穀物メジャーが市場を支配

世界では約**30**億トンの
主要穀物が生産されている

輸出に回される穀物は約**5**億**5000**万トン。
全体の**18**％しかない。
そして、輸出できる国も少数だ

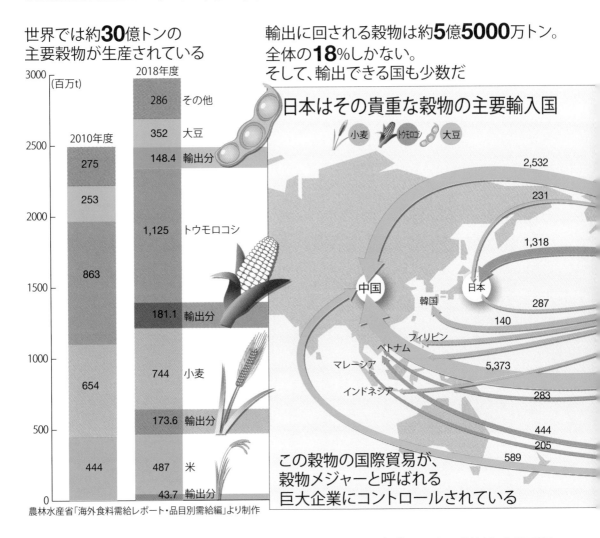

3000
(百万t)

2018年度

2010年度

2500

275
253

286　その他
352　大豆
148.4　輸出分

2000

863

1,125　トウモロコシ

1500

181.1　輸出分

654

744　小麦

1000

173.6　輸出分

500

444

487　米
43.7　輸出分

0

農林水産省「海外食料需給レポート・品目別需給編」より制作

日本はその貴重な穀物の主要輸入国

小麦　トウモロコシ　大豆

中国　日本
韓国
フィリピン
ベトナム
マレーシア
インドネシア

2,532
231
1,318
287
140
5,373
283
444
205
589

この穀物の国際貿易が、
穀物メジャーと呼ばれる
巨大企業にコントロールされている

主食である穀物が利益の対象に

　2020年の世界人口は、約78億人。年々増加する人口を支え、食料危機に備えるためには、主食となる穀物の増産が急がれます。自国で十分な量を生産できればよいのですが、それができない国は、よその国から輸入しなければなりません。この穀物の国際市場をコントロールしているのが、穀物メジャーと呼ばれる巨大企業です。

　穀物メジャーが注目されるようになった

のは、1970年代のこと。深刻な食料不足に陥ったソ連（当時）は、敵対関係にあったアメリカから、極秘裏に大量の穀物を買い付けました。その取引を担ったのが、穀物メジャーです。それまでの輸出は、国内で余ったものを処理することが目的でしたが、これを機に、利益を求めて新たな市場を開拓する戦略に転換。いまや世界の穀物市場は、アメリカのカーギル、アーチャー・ダニエルズ・ミッドランド、ブンゲとフランスのルイ・ドレフュス、それぞれの頭文

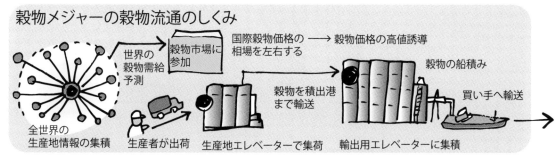

穀物メジャーの穀物流通のしくみ

世界の穀物需給予測 → 穀物市場に参加 → 国際穀物価格の相場を左右する → 穀物価格の高値誘導

全世界の生産地情報の集積　生産者が出荷　生産地エレベーターで集荷　穀物を積出港まで輸送　輸出用エレベーターに集積　穀物の船積み　買い手へ輸送

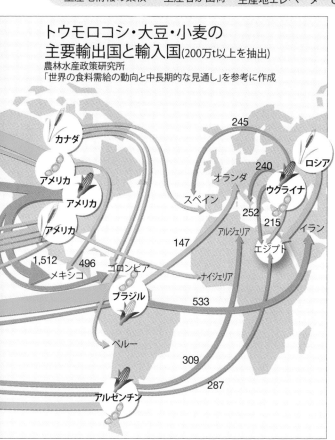

トウモロコシ・大豆・小麦の主要輸出国と輸入国(200万t以上を抽出)

農林水産政策研究所
「世界の食料需給の動向と中長期的な見通し」を参考に作成

カナダ

アメリカ

アメリカ

アメリカ

1,512　496
メキシコ
コロンビア

ブラジル

ペルー

309

287

アルゼンチン

245

オランダ　240　ロシア
スペイン　　ウクライナ
252　215
アルジェリア　イラン
147　エジプト
ナイジェリア

533

4大穀物メジャー ABCD

カーギル(アメリカ) Cargill
米ミネソタ州に本社を置く1865年創業の穀物メジャー最大手。穀物だけでなく、食品全般、医薬品なども扱う

アーチャー・ダニエルズ・ミッドランド(アメリカ) ADM
米ミネソタ州で1902年創業。穀物取引量は、カーギルに次ぐ世界第2位。バイオエタノール分野にも進出

ブンゲ(アメリカ) Bunge
オランダで1818年創業。現在はアメリカ法人。農業、砂糖・バイオエネルギー、食用油、製粉、肥料などの部門をもつ

ルイ・ドレフュス(フランス) Louis-Dreyfus
1851年創業。食品関連のほか、飼料・ペットフード、繊維、バイオエネルギー、医薬品なども扱う

カーギル社の巨大な穀物エレベーター

字をとってABCDと呼ばれる4強を中心とした穀物メジャーに独占されています。

流通網や関連事業を独占

　穀物メジャーは、自ら穀物を生産することはありません。天候に左右される農作業は農家に任せ、流通を一手に担います。エレベーターと呼ばれる巨大穀物倉庫や、トラック、貨車、貨物船などの輸送手段を自社で保有し、世界中にネットワークを張り巡らせて、需要と供給を結びつけます。

　穀物メジャーは、収穫期の異なるさまざまな国から穀物を調達するため、どこかの国が不作でも、常に安定した供給が見こめます。小規模農家から見れば、自分で販路を開拓するより、穀物メジャーに買い取ってもらったほうが、手間が省けます。

　こうしたメリットがある一方、穀物メジャーは、穀物の価格さえ実質的に支配しています。さらに近年では、加工分野や種子・飼料の販売事業にも乗り出し、ここでも独占的な利益を上げようとしています。

一代限りのF1種の登場により巨大企業に独占される種子

毎年購入する商品になった種

　古代から、人類は作物を育てて種をとり、その種をまいて育てることを繰り返してきました。しかし、いま私たちが食べている農産物の種は、ほとんどがF1種と呼ばれる一代限りの種です。

　メンデルの法則で知られるように、異なる性質をもつ親同士をかけあわせると、第一代では、両者の優性を受け継いだ均一な作物が生まれます。ところが、第二代になると、第一代と同じものは生まれず、バラバラな性質をもつものが現れます。そこで、品質も形もそろった作物が確実に収穫できる雑種第一代（First Filial Generation：略してF1）の種が開発され、食料増産が求められた1960年代頃から広く使用されるようになりました。

　F1種は生育もよく、安定した収穫が望めます。かわりに農家は毎年、種子メーカーから種を買わなければならなくなりました。かつては農家の財産だった種が、種子メー

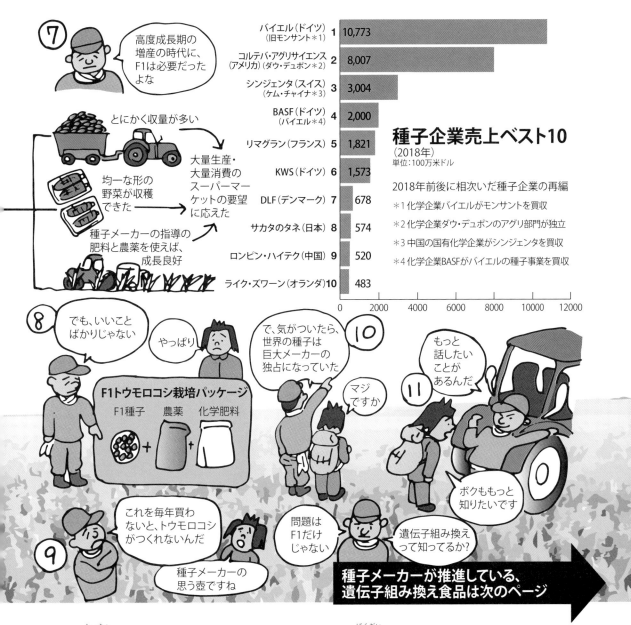

カーの特許商品となってしまったのです。

多国籍企業が種子市場に参入

　今日、作物の新品種は、知的財産として保護されています。その目的は、育成者が、費用と時間をかけて開発した種が、無断で栽培・販売されることを防ぐためであり、民間による品種改良を促すためでもありました。しかし、これが、資金力のある巨大企業の参入を活発化させることになります。

　世界中で使用される種の特許を独占すれば、莫大な利益が得られるため、1970年代以降、巨大企業や穀物メジャーが、各国の主要種子会社を次々と買収。さらに、巨大企業同士の買収・合併が相次ぎ、苛烈な競争が繰り広げられています。

　右上のグラフに示したのは、種子メーカー上位10社の世界売上です。トップ4社は、いずれもバイオ技術と巨大資本を武器に、種子市場に参入した化学企業を母体としています。この4社だけで、いまや世界市場の約7割を支配しているのです。

安全性の確証がないままに
世界を覆う遺伝子組み換え作物

広い畑
ですね

これでも、アメリカの畑に
比べれば、猫の額だ

こんな畑で、
一番辛い仕事は
なんだと思う

トラクターも進化
して、いまや自動
運転で働くが

雑草取りだ

そこでアメリカの農薬
会社は考えたわけだ

強力な除草剤だと、
作物も死んじゃう。
なら除草剤に強い
品種が作れないか

遺伝子を操作して、
除草剤に強い品種を
作ろうとしたわけだ

遺伝子操作の一つの方法

地中の
バクテリアの
遺伝子を
取り出し

組み換えた
遺伝子を
バクテリアに戻す

このバクテリアを
目的のトウモロコシ
の細胞に入れる

くっつける

この細胞を
培養して、

農薬に耐性のある
別の植物の遺伝子
を見つけて、必要な
部分を取り出す

この2つは別の種類の植物で、
自然では交配できない

除草剤に強い(耐性を
持った)新しい作物の
品種ができた

そう
ですね

こんなこと、自然では
絶対できない。
うまく考えたもんだな

遺伝子操作で品種を改良

　種子メーカーによって開発された新品種のなかでも、特に問題になっているのが、遺伝子組み換え作物です。遺伝子組み換え作物とは、ある作物の特定の遺伝子を取り出し、別の作物の細胞に組みこみ、新しい性質をもたせた作物のこと。英語の頭文字をとって、GM作物とも呼ばれます。

　代表的なGM作物は、農薬に強い穀物です。農作業で一番手がかかるのは、雑草の除去です。そのため化学的に合成された除草剤が開発されましたが、薬が強すぎると、肝心の作物も枯れてしまいます。そこで、遺伝子組み換え技術によって、特定の除草剤に耐性をもつ作物がつくられ、大規模農家などで広く利用されるようになりました。

　このほか、農家の作業負担を減らし、安定した収穫量を確保するために、害虫に強く、殺虫剤を使わなくてすむ作物、ウイルス性の病気にかかりにくい作物など、さまざまな品種が開発されています。

遺伝子組み換え作物
商業栽培国と規制の動き
2018年

- 商業栽培国
- 規制強化の動きのある国
- 完全規制の国

1位
アメリカ
7,500万ha

2位
ブラジル
5,130万ha

3位
アルゼンチン
2,390万ha

4位
カナダ
1,270万ha

5位
インド
1,160万ha

『モンサント　世界の農業を支配する遺伝子組み換え企業』
(マリー=モニク・ロバン著 作品社刊)

問われる輸入作物の安全性

いまやGM作物は、世界26カ国で栽培され、総面積は1億9000万ヘクタール以上。最も栽培面積が多いのはアメリカで、同国で栽培されている大豆、トウモロコシの9割以上がGM作物です。途上国でもGM作物の栽培面積が増加しています。

日本では、商用には栽培されていませんが、認可された大豆、トウモロコシ、菜種などのGM作物が大量に輸入され、家畜の飼料のほか、味噌、醤油、菜種油といった加工品にも使われています。

しかし、人工的に操作された作物が、長い時間をかけて人体や生態系にどんな影響を与えるのか、まだはっきりしたことはわかっていません。また、GM作物の花粉が飛ばされて、通常の作物が意図せずGM作物になってしまう危険性も指摘されています。そのため、ヨーロッパでは規制が進み、主食となる小麦については、世界中のどの国でも商用栽培は行われていません。

農作業の効率を高めるための
農薬使用はどこまで安全か?

**農薬会社は収穫前除草剤散布(プレハーベスト)
を推奨している**

プレハーベストをしないと
小麦の収穫作業に手間がかかり、
収穫機械での
選別も粗くなる

プレハーベストをすると
小麦の茎や葉が枯れるので、
収穫作業が早く進み、
収穫機械での
選別も早い

しかし、収穫された
小麦は除草剤まみれ

日本では小麦は消費者団体の抗議で中止されたが、
一部大豆では続いている

アメリカの輸出用小麦、大豆のほぼ全ては、
プレハーベストされている

▌残留農薬に不安を覚える人も

　人類の農業1万年の歴史のなかで、化学
的に合成された農薬が広く使われるように
なってから、まだ100年もたっていません。
第二次世界大戦後、農作業を軽減し、収穫
量を増やすために、農薬の使用が欠かせな
くなりました。しかし、1960年代頃から農
薬による事故が多発。その後、農薬の毒性
や生態系への影響が明らかになったため、
現在では一定の安全基準が設けられ、残

留農薬検査などが義務づけられています。

　しかし、安全基準を満たしていても、わ
ずかでも農薬が残っている食品に不安を覚
える消費者は少なくありません。近年、特
に問題になっているのは、輸入作物やその
加工品などから検出される残留農薬です。

▌一律ではない安全性の評価

　日本は小麦粉の原料となる小麦の多く
を、アメリカやカナダから輸入しています
が、両国の小麦畑では、1980年代から、

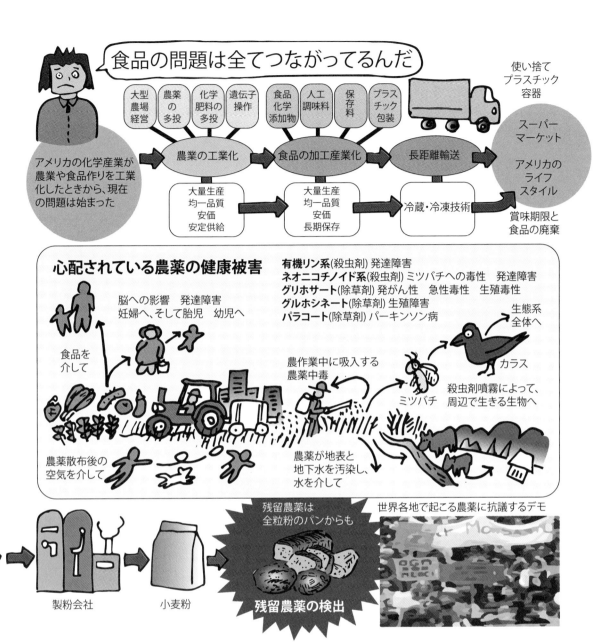

食品の問題は全てつながってるんだ

アメリカの化学産業が農業や食品作りを工業化したときから、現在の問題は始まった

| 大型農場経営 | 農薬の多投 | 化学肥料の多投 | 遺伝子操作 | 食品化学添加物 | 人工調味料 | 保存料 | プラスチック包装 |

農業の工業化 → 食品の加工産業化 → 長距離輸送

大量生産 均一品質 安価 安定供給 → 大量生産 均一品質 安価 長期保存 → 冷蔵・冷凍技術

使い捨てプラスチック容器

スーパーマーケット

アメリカのライフスタイル

賞味期限と食品の廃棄

心配されている農薬の健康被害

有機リン系(殺虫剤) 発達障害
ネオニコチノイド系(殺虫剤) ミツバチへの毒性 発達障害
グリホサート(除草剤) 発がん性 急性毒性 生殖毒性
グルホシネート(除草剤) 生殖障害
パラコート(除草剤) パーキンソン病

脳への影響 発達障害
妊婦へ、そして胎児 幼児へ

食品を介して

農薬散布後の空気を介して

農作業中に吸入する農薬中毒

農薬が地表と地下水を汚染し、水を介して

殺虫剤噴霧によって、周辺で生きる生物へ

ミツバチ

カラス

生態系全体へ

製粉会社　　小麦粉

残留農薬は全粒粉のパンからも

残留農薬の検出

世界各地で起こる農薬に抗議するデモ

プレハーベスト（収穫前）と呼ばれる農薬散布が行われています。収穫直前に除草剤をまいて雑草を枯らすと、小麦を収穫しやすくなるため、特に北米のような大規模農場では作業効率が高まります。

しかし、この除草剤の主成分であるグリホサートには、発がん性や急性毒性、生殖性への影響など、さまざまな危険性がある、と複数の論文が指摘しています。その一方で、FAO（国連食糧農業機関）とWHO（世界保健機関）の合同会議など複数の機関は、発がん性などは認められないと発表しており、評価が真っ二つに分かれています。

グリホサートに限らず、農薬の安全性については、国によって基準が異なることも問題視されています。EUは、有害性が立証されなくても不安要素のあるものは予防的に禁止する、など厳しい基準を設けていますが、EUの禁止農薬が、アメリカや日本などに輸出され、使用されているのが現状です。製造・使用・販売を一律に規制する国際基準がないことが一番の問題でしょう。

Part 3
食の
イノベーション
①

持続可能な開発目標SDGsに関わる世界の食の問題

すべての人に等しく食料を

国連に加盟する世界193カ国は、2015年に「持続可能な開発のための2030アジェ

目標1	あらゆる場所であらゆる形態の貧困を終わらせる
目標2	飢餓を終わらせ、食料の安定確保と栄養状態の改善を達成すると共に、持続可能な農業を推進する
目標3	あらゆる年齢のすべての人々の健康的な生活を確保し、福祉を推進する
目標4	すべての人々に包摂的かつ公平で質の高い教育を提供し、生涯学習の機会を促進する
目標5	ジェンダーの平等を達成し、すべての女性と女児の能力強化を図る
目標6	すべての人々に水と衛生へのアクセスと持続可能な管理を確保する
目標7	すべての人々に手ごろで信頼でき、持続可能かつ近代的なエネルギーへのアクセスを確保する

国連が2030年までに目指す

目標8	すべての人々のための持続的、包摂的かつ持続可能な経済成長、生産的な完全雇用および働きがいのある仕事を推進する
目標9	強靭なインフラを整備し、包摂的で持続可能な産業化を推進すると共に、イノベーションの拡大を図る

ンダ（行動目標）」を採択し、下に示した17の「持続可能な開発目標（SDGs）」を掲げて、2030年までの達成を目指しています。

このうち食と深く関わる目標は、飢餓の撲滅（2）、すべての人の健康（3）、持続可能な消費と生産（12）、海と陸の豊かさを守る（14・15）などですが、Part2で見たように、食をめぐる問題は、さまざまな原因によって引き起こされています。例えば食料不足を解消するためには、貧困（1）、不平等（10）、気候変動（13）への対策も必要ですし、食に関わる産業が健全に発展していくためには、技術革新（9）やパートナーシップ（17）なども求められます。

このように、食の問題はSDGsのどの目標ともつながりをもつ重要な課題です。世界人口は増大し、今後ますます多くの食料が必要になってきます。地球環境を守りながら、すべての人に食料を届けるためには、世界各国の協力が不可欠です。

持続可能な開発目標SDGs

4 質の高い教育を
みんなに

5 ジェンダー平等を
実現しよう

6 安全な水とトイレ
を世界中に

目標 12	持続可能な消費と生産のパターンを確保する

10 人や国の不平等
をなくそう

11 住み続けられる
まちづくりを

12 つくる責任
つかう責任

目標 13	気候変動とその影響に立ち向かうため、緊急対策をとる

16 平和と公正を
すべての人に

17 パートナーシップで
目標を達成しよう

目標 14	海洋と海洋資源を持続可能な開発に向けて保全し、持続可能な形で利用する
目標 15	陸上生態系の保護、回復および持続可能な利用の推進、森林の持続可能な管理、砂漠化への対処、土地劣化の阻止・回復ならびに生物多様性の損失阻止を図る

目標 10	各国内および国家間の不平等を是正する
目標 16	持続可能な開発に向けて平和で包摂的な社会を推進し、すべての人々に司法へのアクセスを提供すると共に、あらゆるレベルにおいて効果的で責任ある包摂的な制度を構築する
目標 11	都市と人間の居住地を包摂的、安全、強靱かつ持続可能にする
目標 17	持続可能な開発に向けて実施手段を強化し、グローバル・パートナーシップを活性化する

健康と環境に配慮する人が急増
変わりつつある食のトレンド

時代が求める新たな革新

食の世界で、いま、さまざまなイノベーションが生まれています。イノベーションとは、新しい発想で、新しいものを生み出す革新的（かくしんてき）な技術や活動をさします。

1950年代以降、食料は大量生産される商品となり、伝統的な食生活は、ファストフードやインスタント食品に取って代わられるようになりました。生産性の高い近代的農法や、調理しなくても手軽に食べられる食品は、登場した当時は画期的（かっきてき）なイノベーションであり、人々の暮らしを楽にしてくれました。しかし、生産効率や便利な

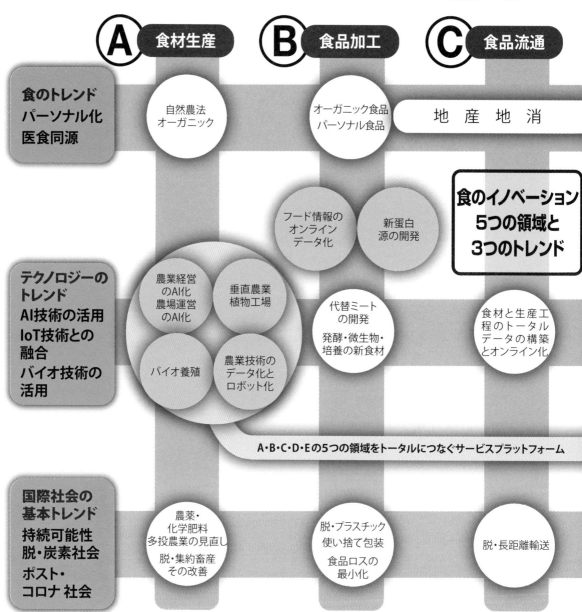

A 食材生産　**B** 食品加工　**C** 食品流通

食のトレンド
パーソナル化
医食同源

- 自然農法 オーガニック
- オーガニック食品 パーソナル食品
- 地産地消

食のイノベーション
5つの領域と
3つのトレンド

- フード情報の オンライン データ化
- 新蛋白源の開発

テクノロジーの
トレンド
AI技術の活用
IoT技術との
融合
バイオ技術の
活用

- 農業経営のAI化 農場運営のAI化
- 垂直農業 植物工場
- バイオ養殖
- 農業技術のデータ化とロボット化
- 代替ミートの開発 発酵・微生物・培養の新食材
- 食材と生産工程のトータルデータの構築とオンライン化

A・B・C・D・Eの5つの領域をトータルにつなぐサービスプラットフォーム

国際社会の
基本トレンド
持続可能性
脱・炭素社会
ポスト・
コロナ社会

- 農薬・化学肥料 多投農業の見直し 脱・集約畜産 その改善
- 脱・プラスチック 使い捨て包装 食品ロスの最小化
- 脱・長距離輸送

暮らしを求めるあまりに、もっと大切なことがおろそかになっていたことに、多くの人が気づくようになったいま、新たなイノベーションが求められています。

■ トレンドは健康志向と環境への配慮

食べることは、単に空腹を満たすためではなく、健康な体をつくり、病気を予防するため、つまり「医食同源」と考える人が増えています。また、環境破壊や気候変動、プラスチックごみ問題などに関心を寄せる

人も増えています。健康志向と環境への配慮という新しい価値観が、時代のトレンドとなり、食の世界は、人々のニーズに合わせて、大きく変わろうとしています。

下の図に示したように、食料の生産から消費までの各過程で、現在さまざまな変革が起きています。オンラインによって、それぞれを結びつけるネットワークも構築されつつあります。次のページからは、食にまつわる主だった変革をとりあげ、それぞれ詳しく見ていきましょう。

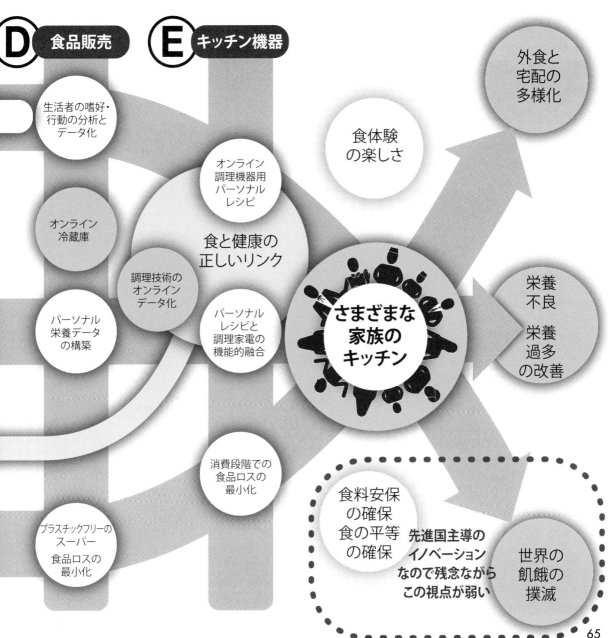

食料の生産現場で進む
AIとテクノロジーの導入

スマート農業で自動化が可能に

世界人口の増加によって、より多くの食料が求められている一方、高齢化（こうれいか）などによって、ほとんどの国で農業人口が減少しています。そのため、AI（人工知能（じんこうちのう））などの最新技術を使って、農業の効率化を図（はか）る

スマート農業に注目が集まっています。

手作業のイメージが強い農業ですが、機械化が進んだ現在、畑を耕すにはトラクター、収穫にはコンバインなど、用途に応じた多彩な農機が使用されています。これらの農機にGPS（全地球測位システム（ぜんちきゅうそくい））受信機を取りつけ、AIによって自動運転さ

1 GPSとAIが実現したリモート農・畜産業

GPSで自動運転される農業機械

車両の自動運転は、農業で一歩先を進んでいる。アメリカの6割の農場でトラクター、コンバインが自動で稼働している

単純な自動運転だけではなく、収穫作業時の機器の高度なコントロールも可能だ

日本では自動田植機が稼働

精密な直進機能をもった、自動田植機が開発され、実証段階に入っている

ドローンの登場で可能に

高度な農場・牧場の自動管理

ドローンの画像・センサー情報とAIの融合

ドローン搭載の4Kカメラの高精度画像で、詳細な作物・動物の状態を把握

AIとITを駆使する精密な農畜産業

多くのテック企業がAIで駆動するトータルな農畜産経営プラットフォームを提案している。多量で詳細な情報をもとにAIが提案する、精密な作業工程。
写真は農場の作物の生育段階の画像。
青が育成不良、黄からオレンジが育成良を表している

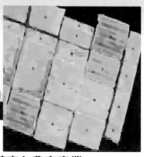

農畜産業での作業時間の半分以上は、農場・牧場の見回りに取られていた。ドローンの登場でこれが自動化される

土壌管理、育苗、作付け、水やり、施肥、 **個体の詳細健康情報、個体別飼料配分**

せる技術が、すでにアメリカでは大半の農家で導入されています。また、ドローンの普及によって、上空から作物の生育状況を観察したり、ピンポイントで農薬を散布したりすることも可能となりました。

農業分野では、このほか、収穫や選別などの農作業を自動的に行うロボット、新品種をつくるために遺伝情報を改変するゲノム編集技術、広い耕地がなくても屋内のスペースを効率よく使える都市型の垂直農法などにも期待がもたれています。

植物と違い、動物相手で自動化は難しいとされてきた畜産業でも、AIを用いた個体管理が進んでおり、いまでは搾乳を完全自動で行うシステムまで登場しています。

漁業分野では、海にいけすを設ける海面養殖に替わり、徹底して管理された水槽で育てる陸上養殖に注目が集まっています。台風や水温上昇などの影響を受けないため、安定した生産量が得られ、場所を選ばない、商品の流通経路を把握できる、などの利点があり、すでに日本でも導入されています。

2 海で獲るから、陸で養殖する漁業へ

気候変動も影響し、海の漁業資源の減少が懸念され、安定的な蛋白質の確保のために、養殖業が注目される。そのなかで陸上でも行える完全閉鎖循環型の養殖業が始まっている

3 ゲノム編集技術が優良種を誕生させる

ゲノムを取り出す

カフェインの遺伝子を探す

ゲノムを切り出す

ノンカフェインのコーヒーの木ができる

繋ぐ

コーヒーの木

ノンカフェインコーヒーもできる
批判の多い遺伝子組み換えではなく、ターゲットの遺伝子を編集して、そのターゲットに新しい特徴をもたせる、ゲノム編集技術が躍進している

4 ロボット農作業が現実に

高精度画像センサーと精密ロボットの融合で実現した、アスパラ収穫作業ロボット

センサー

アーム

収穫適時の判断、繊細な収穫作業の制御

5 究極の「地産地消」は都市の垂直農業

完全密閉環境での野菜の生産が商業ベースで軌道に乗り始めた。AIによる生育環境の管理によって完全オーガニックの栽培も進む。レストランが自前で運用する小型システム、家庭用も開発されている

新しい蛋白源を求めて
先進国で加速する肉食離れ

注目される植物性蛋白

欧米先進国では、肉食離れが進んでいます。完全菜食主義を貫くビーガンから、肉食をなるべく減らすフレキシタリアンまで、程度の差こそあれ、蛋白源を動物性ではなく、植物性食品から得ようとする食生活に注目が集まっているのです。

その理由のひとつは、肉食に偏った食生活が、肥満や生活習慣病のリスクを高めること。もうひとつは、p46〜47で見たように、畜産は環境への負荷が高く、地球温暖化を促す原因にもなっていること。そしてもちろん、動物を工業製品のように扱

健康のための食生活の改善

過食と過剰な脂肪摂取の健康への影響

G7の肥満ベスト5
アメリカがダントツ

| 30.6% | 23% | 13% | 9% | 9% |
| アメリカ | イギリス | ドイツ | フランス | イタリア |

15歳以上で肥満の人の割合

世界の
糖尿病人口は
4億6,500万人

虚血性心疾患での
死亡者数は
先進国でアメリカが
1位

ORGANIC

脱・肉食　脱・動物性蛋白

地球温暖化
畜産の過大な環境負荷

肉食・特に牛肉食の抑制

動物愛護と
新たな蛋白源の開発

脱・肉食の
色々なスタイル

完全菜食
ビーガン

ラクト・ベジタリアン
乳製品は摂取する

オボ・ベジタリアン
卵は摂取する

フレキシタリアン
主として菜食だが
時には肉も食べる

完全菜食者・ビーガンが
増加している

アメリカでは2009年には1%だったビーガンが、2017年には6%まで増加していると報告された。その数は2,000万人にも及ぶ

（ベジタリアン）

ベジタリアンは、菜食主義といっても、厳格に植物性食品しか食べない人だけでなく、殺生をしない乳製品や卵はよしとする人、時々は肉を食べる人など、さまざま。左はその分類の一例

現在は肉食から離れられない、フレキシタリアン向けの代替ミートの開発、商品化が進んでいる

い、命を奪うことへの批判もあります。こうしたことから、食品業界では、肉に代わる蛋白源の開発が、急速に進んでいます。

肉に代わる食品の開発が進む

　欧米の市場には、すでに大豆やエンドウ豆、米などを使った代替肉、豆乳やアーモンドミルクなどの代替ミルク、緑豆を原料とする代替卵などが登場しています。この分野では、日本の企業も健闘しています。もともと日本には、殺生を避けるために、肉や魚を使わず、蛋白源を大豆からとる精進料理の伝統があります。豆腐料理や、肉に似せた「もどき料理」など、大豆蛋白をふんだんに使った和食は、欧米のビーガンからも熱い視線を集めています。

　また、まだ販売には至っていませんが、動物から取り出した細胞を培養してつくる培養肉の開発も進んでいます。研究室でつくられる人工肉には、批判や反発もありますが、世界的な人口増加に対応する切り札となる可能性も秘めています。

日本には古くから大豆蛋白の精進料理の伝統がある

代替肉で日本の企業も健闘している

大塚食品の「ゼロミート」
肉の成分をリバースエンジニアリングで抽出し、大豆蛋白を食感、肉汁、風味ともに本物の肉に近づけた
（写真は同社HPより）

日清食品グループと東京大学のコラボで、肉を培養

世界で初めて、肉をステーキ状に培養する独自技術で開発を進めている
（写真は同社HPより）

植物油脂・大豆プロテインの先進企業、不二製油の大豆加工

大豆蛋白の活用研究のパイオニア。豆乳クリームの開発から大豆ミート、大豆チーズの開発などを続けている
（写真は同社HPより）

代替肉　　培養肉　　代替ミルク・卵

すでに市場で好評なアメリカのビーガンミート

インポッシブル・フーズ
スタンフォード大学の医学部教授パトリック・ブラウン氏が、肉のフレーバーを科学的に解明してつくり上げた、肉らしいハンバーガー

ビヨンド・ミート
遺伝子組み換え技術を使わずに、エンドウ豆と米、ココナッツオイルを使い、ビーツの色素で色付けした肉を開発した

世界の培養肉技術をリードするモサ・ミート

オランダ、マーストリヒト大学のマーク・ポスト博士が開発した、世界初の牛の幹細胞からの培養肉ハンバーガー。まだコスト高で市販には至っていない

増加し続けているアメリカのビーガン市場

代替卵・ミルク「JUST」完全植物性のマヨネーズ

アメリカのジャスト社は、緑豆から抽出したプロテインを原料として、マヨネーズ、卵焼きを製造している

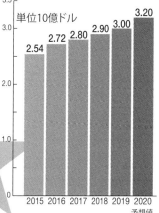

単位10億ドル

年	値
2015	2.54
2016	2.72
2017	2.80
2018	2.90
2019	3.00
2020	3.20

予想値

世界で拡大する有機農業とオーガニック食品の市場

生態系にやさしい農業への転換

　下の図に示したように、世界では、有機農業に転向する農家が増え、その耕作面積が拡大しています。有機農業とは、化学的に合成された農薬・肥料や遺伝子組み換え技術を使わず、環境に負荷をかけない方法で行われる農業のこと。単に農薬不使用ならいいわけではなく、日本の農林水産省では、堆肥などで土づくりを行い、2年以上、化学肥料や農薬を使っていない田畑で生産することも、基準に定めています。

　有機農業は、消費者に健康的で安全な食材を提供するだけでなく、化学薬品を扱わ

世界で拡大が続く有機農業

有機農業の耕作面積と

世界全体で
7,150万ヘクタール
2017年から
202万ヘクタール増加

そこで働く人々(2018年)

世界全体の
有機農業従事者は**280万人**
2009年に比べて**55%**も
増加した

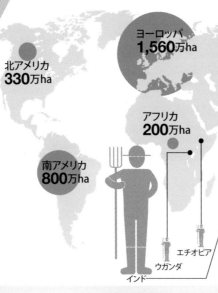

ORGANIC

トップ3の国は
1 オーストラリア
3,560万ha
2 アルゼンチン
360万ha
3 中国
310万ha

北アメリカ
330万ha

ヨーロッパ
1,560万ha

アジア
650万ha

トップ3の国は
1 インド
115万人
2 ウガンダ
21万人
3 エチオピア
20.3万人

アフリカ
200万ha

南アメリカ
800万ha

ちなみに日本は
2.3万ha
(2017年)

エチオピア
ウガンダ
インド

オセアニア
3,600万ha

有機農業の原理とは

IFOAM
国際有機農業運動連盟の
4つの原理

ドイツ・ボンに本部がある、
世界の有機農業者の連盟。
1972年に設立

1 健康の原理

健康とは、土、植物、動物、人間、地球がつながり合い、身体的・精神的・社会的・生態的に満たされた状態をいう。したがって、有機農業では健康を害する危険のある、化学肥料、農薬、動物用薬品、食品添加物の使用はできない

2 生態的原理

有機農業は生態系のバランスの中で営まれるべきで、自然環境を保護し、その恩恵を分かち合うもの

なくてすむので、生産者の健康も守られます。また、田畑は閉鎖された工場とは異なり、自然環境とつながっています。土や土壌動物、微生物、水や大気なども含め、生態系すべてにとって害がなく、自然の循環を乱さない有機農業は、SDGsにもかなう持続可能な農業の形といえるでしょう。

欧米を中心に伸びる有機食品市場

有機農業によってつくられた作物や、その加工品は、有機食品ともオーガニック食品とも呼ばれます。健康志向と環境への配慮から、オーガニック食品を選んで買う人が増え、それとともにオーガニック食品市場の規模も、世界で拡大しています。特にオーガニック志向が高いのは、北欧をはじめとするヨーロッパ諸国です。

日本でも、市場規模は2009年の1,300億円から2017年の1,850億円へと、着実に伸びていますが、オーガニック食品の価格が割高なこともあり、世界に占める小売売上の割合は、1.4％にとどまっています。

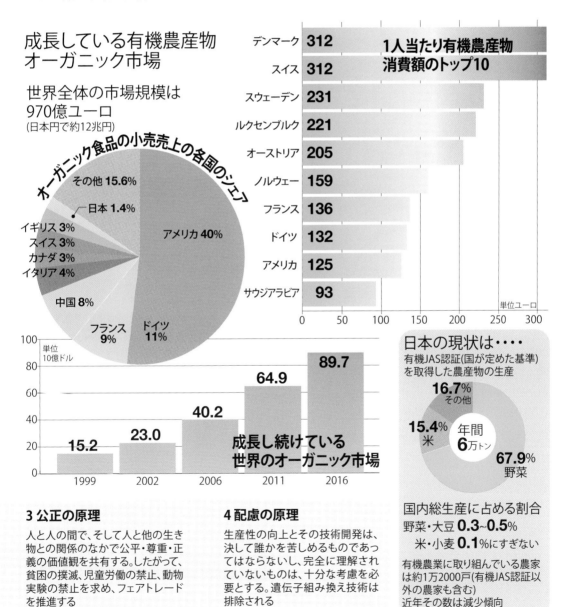

成長している有機農産物 オーガニック市場

世界全体の市場規模は970億ユーロ
(日本円で約12兆円)

オーガニック食品の小売売上の各国のシェア

その他 15.6%
日本 1.4%
イギリス 3%
スイス 3%
カナダ 3%
イタリア 4%
中国 8%
フランス 9%
ドイツ 11%
アメリカ 40%

1人当たり有機農産物消費額のトップ10

国	値
デンマーク	312
スイス	312
スウェーデン	231
ルクセンブルク	221
オーストリア	205
ノルウェー	159
フランス	136
ドイツ	132
アメリカ	125
サウジアラビア	93

単位ユーロ

0　50　100　150　200　250　300

成長し続けている世界のオーガニック市場

単位 10億ドル

1999	2002	2006	2011	2016
15.2	23.0	40.2	64.9	89.7

日本の現状は・・・・
有機JAS認証(国が定めた基準)を取得した農産物の生産

その他 16.7%
米 15.4%
野菜 67.9%

年間 6万トン

国内総生産に占める割合
野菜・大豆 0.3~0.5%
米・小麦 0.1%にすぎない

有機農業に取り組んでいる農家は約1万2000戸(有機JAS認証以外の農家も含む)
近年その数は減少傾向

3 公正の原理

人と人の間で、そして人と他の生き物との関係のなかで公平・尊重・正義の価値観を共有する。したがって、貧困の撲滅、児童労働の禁止、動物実験の禁止を求め、フェアトレードを推進する

4 配慮の原理

生産性の向上とその技術開発は、決して誰かを苦しめるものであってはならないし、完全に理解されていないものは、十分な考慮を必要とする。遺伝子組み換え技術は排除される

ビル街で始める都市農業は
究極の地産地消を実現する？

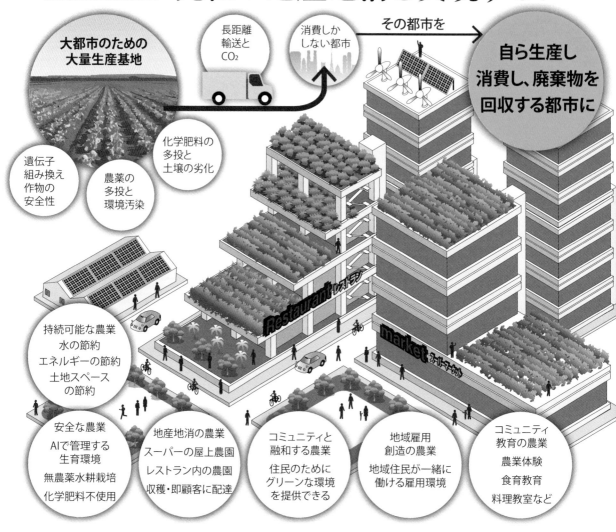

大都市のための
大量生産基地

長距離
輸送と
CO₂

消費しか
しない都市

その都市を

自ら生産し
消費し、廃棄物を
回収する都市に

遺伝子
組み換え
作物の
安全性

農薬の
多投と
環境汚染

化学肥料の
多投と
土壌の劣化

Restaurant レストラン

market スーパーマーケット

持続可能な農業
水の節約
エネルギーの節約
土地スペース
の節約

安全な農業
AIで管理する
生育環境
無農薬水耕栽培
化学肥料不使用

地産地消の農業
スーパーの屋上農園
レストラン内の農園
収穫・即顧客に配達

コミュニティと
融和する農業
住民のために
グリーンな環境
を提供できる

地域雇用
創造の農業
地域住民が一緒に
働ける雇用環境

コミュニティ
教育の農業
農業体験
食育教育
料理教室など

メリットの多い都市農業

　世界人口の半数は、都市に集中して住み、今後もさらに都市人口が増加すると予想されています。そのため、食料を消費するだけの都市から、生産する都市に転換しようとする動きが、世界各地で進行し、都市農業に注目が集まっています。

　アメリカの研究者チームは、全世界の都市で、利用可能なスペースすべてを使って農業を始めれば、年間１億8,000万トンの食料を生産でき、年間150億キロワットのエネルギーを節約できると試算しています。

　消費地で行う都市農業は、新鮮な状態で作物を地域住民に届けることができ、輸送による CO_2 排出も削減できます。また、都市に緑のある環境を創出し、住民に農業と接する機会を提供する場として、災害時の食料供給源としても期待されています。

注目される垂直農法や屋上農場

　日本でも、農林水産省のもとで都市農業

世界の都市で新しい試みが次々と始まっている

フランス・パリ
パリ市内に都市農場が続々とオープンしている。パリ市は「グリーンシティ化」計画で33ヘクタールの農場を計画している

イタリア・ミラノ
工業施設のリニューアルに際して、植物工場を中心にしたハイテクオフィスの建設が進められている

イラン・シラーズ
農業のハイテク化を進めるイランは、露地栽培の野菜をすべて施設栽培にする計画もある

カザフスタン・アスタナ
厳しい自然環境の中で通年の野菜の栽培を目指し、ハイテク植物工場の導入が始まっている

日本では?
残念ながら、まだない

ニューヨーク・ブルックリン
都会の真ん中にブドウ畑が誕生。屋上で育ったブドウの木からニューヨーク産ワインが誕生

台湾・台南市
新設される青果市場の屋上が、8万㎡の巨大な農場となる。農場以外に観光施設、オフィスも入居する

ニューヨーク・マンハッタン
6階建ての複合大型施設の屋上の、約1,000㎡の農場が2020年に収穫期を迎えた

アメリカ・ニューヨーク、シカゴ
GOTHAM GREENSは、現在アメリカで最も成功している自然光利用の都市農業企業。2009年にニューヨーク・ブルックリンで設立され、2015年にシカゴに4つ目にして最大の農場をつくった

アラブ首長国連邦・ドバイ
砂漠の中の都市ドバイでは、植物工場への投資が急拡大している。日産2700キロの野菜を生産する世界最大の施設も稼働

タイ・バンコク
タマサート大学のキャンパスに、22,000㎡の広大なオーガニック屋上農場をつくった。学内の食料の自給が可能に

シンガポール
土地の狭いシンガポールでは、タワー型の植物工場が続々とつくられ、食料自給率の向上を目指す

ベトナム・ハノイ、ホーチミン
農業IoT技術の導入が急速に進み、小規模の植物工場が多数誕生。メロンなどの付加価値作物を栽培

ブラジル・ベロオリゾンテ
広大な国土を輸送される生鮮食品は、輸送中に多くが廃棄されている。このロスをなくすために都市農園がつくられた

が推進され、市民農園や体験農園などを利用する人が増えています。ただし、日本の場合、都市部に残る農家の振興と農地の有効利用に主眼が置かれ、世界の流れとはやや異なります。いま世界で進むのは、既存の農家ではなく、市民や団体、企業などが中心になって行う新しい形の農業です。

　なかでも注目されているのは、高い建物の階層や斜面を利用した垂直農法です。農業は、広大な土地と大量の水を必要とします。その点、垂直農法なら、限られたスペースを有効に利用できるうえ、水耕栽培と組み合わせれば、水を効率よく再生でき、肥料も農薬も少なくてすみます。このほか、ビルの屋上を利用した屋上農場、AIやセンサー、LED照明などを使って管理する植物工場など、新しい農業の試みが始まり、近隣のスーパーやレストランに産直野菜を提供するネットワークも広がっています。

　上の事例に示したように、その地で生産したものを、その地で消費する「地産地消」が、世界の都市で実現しつつあります。

AIとIT企業が目指すのは
人と食を結ぶプラットフォーム

AIが支援する食と健康の管理

AI（人工知能）が話題になり始めた頃、さまざまな議論が沸き起こりました。AIは人間の単純労働を奪ってしまう。いや、それどころか医師のような知的専門職だって奪いかねない。こんな議論の背景にあったの

は、思考する機械が人間の頭脳を超えるかもしれない、という本能的な恐れでした。

しかし、それからわずか数年後のいま、AIは意外とすんなりと私たちの暮らしのなかに入りこんでいます。毎日のように使うLINEやツイッターも、グーグルなどの検索サイトも、その背後で働いているのは

医療・健康関連企業	食品生産関連企業	食品製造関連企業	食品販売・通販関連企業
医食同源を基本とする医療・健康・スポーツ関連情報を提供する	作物の特徴・安心安全のトレーサビリティ情報を提供する	食品の安心安全情報と利用者利益につながる製品情報を提供する	食品関連の販売関連情報を提供する
伝統医療と近代医療の知識に、個人の日常生活のデータがフィードバックされ、その実用性が検証される	消費者個人の食材へのダイレクトな評価が、生産者にフィードバックされる	プラットフォーム参加企業へ、自社商品への消費者個人の評価が正確にフィードバックされる	販売流通業者は、販売データだけではなく、消費者のリアルタイムな嗜好データを蓄積し分析できる

AI

AIです。ビッグデータといわれる利用者1人1人の毎日の利用履歴を集約し、その行動を記録・分析し、企業のマーケティングに役立つデータを構築しています。通販サイトでお菓子を買えば、似たようなお菓子の情報が届くのもAIの働きです。

　このAIのデータの活用で、現在最も注目を集めているのが、食べ物と健康の領域です。食べ物と健康は、人間社会のなかで最も個人的な領域です。食欲という生物としての根源的な欲望が引き金となり、私た

ちの食生活はさまざまな食材や料理で彩られ、その結果として、私たちは極めて個人的な健康問題を抱えます。

　この食材から健康までをつなぐ、人々の日常のデータから、その人だけの特徴を抽出して、その人だけのための「食」と「健康」のシステムを構築しよう。アメリカのシリコンバレーに集ったIT企業家たちの関心が、ここに寄せられています。AIがつくるパーソナルなフード＆ヘルスサービスプラットフォームの誕生も間近です。

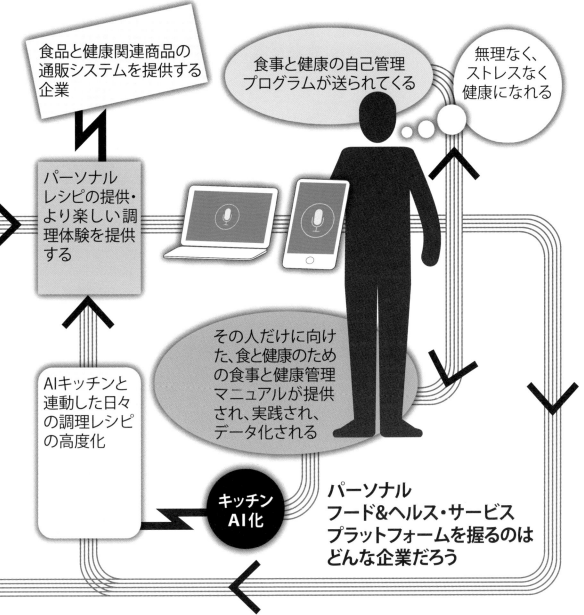

農村はテック革命で世界とつながり
持続可能なコミュニティとなる

■ 最新技術で農家が消費者とつながる

2020年春、新型コロナウイルスの感染拡大が日本でも始まったとき、多くの農家は、打撃を受けました。学校給食や飲食店に提供するはずだった食材が、休校や営業自粛のため大量に余ってしまったのです。一方、

都市住民は、自粛のため買い物を控えることを余儀なくされていました。在庫を抱えた農家とステイホーム中の消費者、その両者を結びつけたのが、インターネットの通販サイトや、支援を呼びかけるSNSでした。

いまやスマートフォンひとつで注文、発送、代金の決済まででき、商品を速やかに

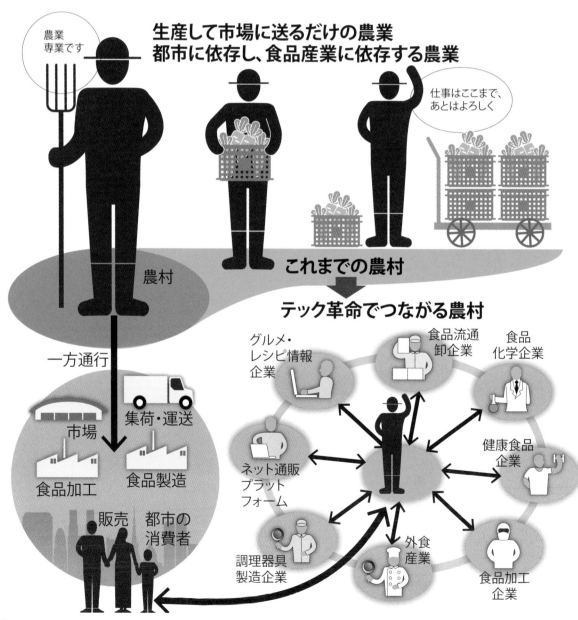

農業専業です

生産して市場に送るだけの農業
都市に依存し、食品産業に依存する農業

仕事はここまで、あとはよろしく

これまでの農村

農村

一方通行

集荷・運送

市場

食品加工　食品製造

販売　都市の消費者

テック革命でつながる農村

グルメ・レシピ情報企業

食品流通卸企業

食品化学企業

ネット通販プラットフォーム

健康食品企業

調理器具製造企業

外食産業

食品加工企業

届けるシステムが構築されています。私たちの気づかないうちに、最新テクノロジーによって新たなしくみを生み出すテック革命が進行し、これまで接点のなかった生産者と消費者が直接結びつくことで、膨大な在庫の解消に一役買うことができたのです。

食を担うコミュニティ

　農業は、生産効率を求める工業とは、本質的に異なります。自然と共存しながら、人間が生きるために必要な食料を生産し、古来伝わる知恵や技を継承する役割も担っています。いわば社会の共通資本というべき存在でありながら、これまで裏方だった農家が、テック革命によって外部とつながり、ネットワークを広げています。

　これからの農村は、ひとつの経済圏として成り立つ可能性を秘めています。農家が個々に生産するだけではなく、共同で加工、販売、開発、情報発信、再生可能エネルギーの導入などを行い、食を担う持続可能なコミュニティとなることが望まれます。

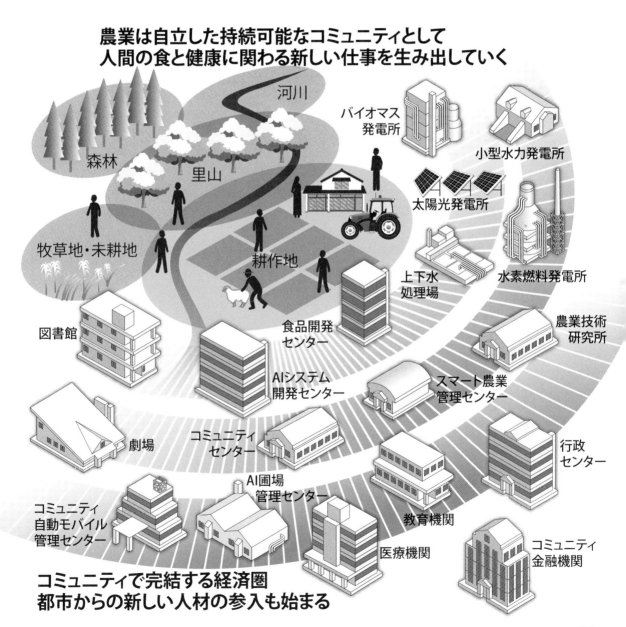

農業は自立した持続可能なコミュニティとして 人間の食と健康に関わる新しい仕事を生み出していく

河川
バイオマス発電所
小型水力発電所
森林
里山
太陽光発電所
水素燃料発電所
牧草地・未耕地
耕作地
上下水処理場
農業技術研究所
図書館
食品開発センター
AIシステム開発センター
スマート農業管理センター
劇場
コミュニティセンター
行政センター
AI圃場管理センター
コミュニティ自動モバイル管理センター
教育機関
医療機関
コミュニティ金融機関

コミュニティで完結する経済圏 都市からの新しい人材の参入も始まる

Part 4
日本の食が危ない ①

食の安全を目指す世界の動きに逆行する日本

■ 落ちこむ食料自給率の意味

　1965年には73％だった日本の食料自給率が、2019年には38％と半分近くにまで

どうやら、私たち日本人は

食と健康へ世界の趨勢		世界と逆行する日本の動き
先進国は自給率の向上を達成	**食料自給率**	**日本の動き** 日本は低下する一方

世界の趨勢

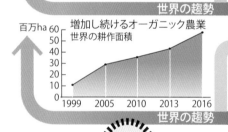

百万ha　増加し続けるオーガニック農業
世界の耕作面積

	オーガニック農業・食品	**日本の動き** 日本の耕作面積は主要国で最下位

世界の趨勢

詳しくはp70-71

詳しくはp68-69

代替ミートの開発競争激化	**脱・肉食へ**	**日本の動き** 依然肉類の消費を伸ばす日本

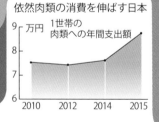
万円　1世帯の肉類への年間支出額

世界の趨勢

ヨーロッパ各国で展開される、遺伝子組み換え作物反対運動

	反・遺伝子組み換え作物	**日本の動き** 遺伝子組み換え食品の一層の認証へ

世界の趨勢

食料安保のために、その地域の固有種の保護が進む	**生物多様性固有種の保護**	**日本の動き** 300種近くの米の品種が淘汰されようとしている

世界の趨勢

落ちこんでいます。これは、日本人の食生活が変わり、自給率の高い米の消費が減る一方で、畜産物などの輸入が増加しているためです。右下のグラフで見るように、穀類（こく・るい）だけとっても、日本の自給率は諸外国に比べて低い水準にあることがわかります。

　自給率だけではありません。下に示したように、世界では、有機農業への転換、肉食を減らす食生活、遺伝子組み換え（いでんし）作物（さくもつ）への反対運動、作物の固有種（こゆうしゅ）の保護など、食

の安全と健康を守るための取り組みが進んでいます。しかし日本の政策は、そのいずれも、世界の動きと逆行しているのです。

　日本は総じて、食の安全のための基準が、他国に比べてゆるいことが指摘されています。農薬（のうやく）を使った小麦、添加物（てんかぶつ）を使った肉、安全性が立証されていない遺伝子組み換え作物などが、日本になだれこんでいます。それらの主な輸出国は、いずれもアメリカです。これは単なる偶然（ぐうぜん）でしょうか？

世界と反対に動いている

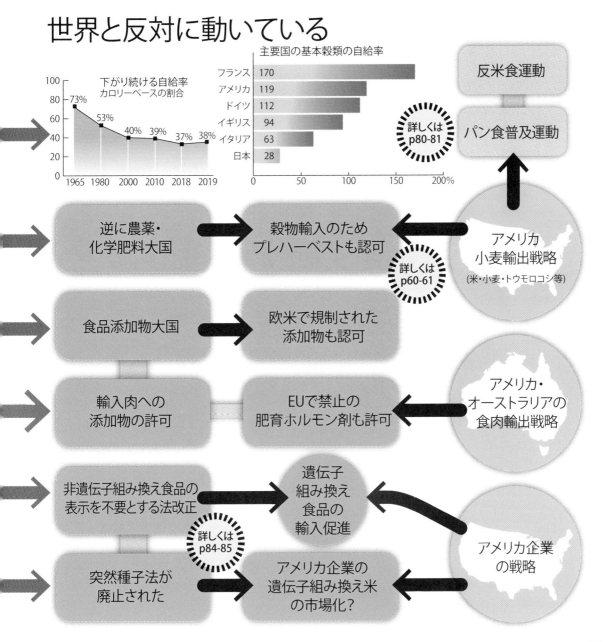

主要国の基本穀類の自給率

フランス	170
アメリカ	119
ドイツ	112
イギリス	94
イタリア	63
日本	28

下がり続ける自給率
カロリーベースの割合

年	割合
1965	73%
1980	53%
2000	40%
2010	39%
2018	37%
2019	38%

詳しくは p80-81

反米食運動

パン食普及運動

アメリカ
小麦輸出戦略
(米・小麦・トウモロコシ等)

逆に農薬・化学肥料大国 → 穀物輸入のためプレハーベストも認可

詳しくは p60-61

食品添加物大国 → 欧米で規制された添加物も認可

輸入肉への添加物の許可 — EUで禁止の肥育ホルモン剤も許可

アメリカ・オーストラリアの食肉輸出戦略

非遺伝子組み換え食品の表示を不要とする法改正 → 遺伝子組み換え食品の輸入促進

詳しくは p84-85

突然種子法が廃止された → アメリカ企業の遺伝子組み換え米の市場化？

アメリカ企業の戦略

79

日本人の食生活を変えた
戦後のアメリカの食料政策

米からパン、魚から肉へ

　日本人は古くから、米を主食とし、魚や大豆を蛋白源としていました。それがいまでは、パンやパスタなどの小麦粉製品、肉や乳製品を中心とした、欧米型の食生活が浸透しています。日本人の食生活を変えた

のは、戦後のアメリカの政策でした。

　1945年、第二次世界大戦の敗戦国となった日本は、国土を焼き尽くされ、深刻な食料難にあえいでいました。一方、日本を占領統治したアメリカでは、近代的な大規模農業によって大量生産された農作物が余っていました。アメリカは当初、緊急

アメリカは、こうやって日本人の食生活を変えた

① 第二次世界大戦でアメリカは食料を大増産して

ヨーロッパ戦線に送った

機械化と化学肥料の大量生産

② 戦争中、働き手を兵士に取られ日本の農村は疲弊

食料の不足はアジアの植民地・占領地から輸送した

しかし、日本は敗戦。とたんに食料不足に襲われる

敗戦の年は大凶作で餓死の危険も

③ 戦争が終わって、その食料が国内にあふれた

この小麦を何とかしなくては

こりゃいい

チャンスだ

食料の援助をお願いする

④ アメリカさんありがとう

日本支配の道具にしよう

アイゼンハワー

食料は戦略物資だから

食料が欲しいなら、この協定にサインして

日本の農業が犠牲になるが仕方ない

わかりました

⑤ **MSA協定** 1954年3月
小麦60万トン　大麦11万6000トン
他の食料を入れ総額5000万ドルを援助
➡ 日本政府が民間へ売却し、その代金の4000万ドルは日本の再軍備にあてる 1000万ドルは経済復興に利用する

⑥ **PL480法案** 1954年7月
アメリカは日本に食料を輸出する
➡ 代金はずっと後に円で支払っていい ただし、条件がある

⑦ アメリカの小麦を日本が買い続ける構造をつくる
➡ 支払い代金の一部、当時の金額4億2000万円で、アメリカの農産物の宣伝、市場開拓を行うこと

支援として日本に食料を融通していましたが、1952年に日本が主権を回復して独立国になると、アメリカの農産物の輸出先として、日本に狙いを定めます。

アメリカの食料輸出戦略

アメリカは、1954年に制定したPL480法案（余剰農産物協定）によって、日本に小麦などを輸出する取り決めを結び、アメリカの農作物の一大キャンペーンを始めます。キッチンカーを全国に巡回させ、パンや肉、乳製品などを宣伝。米食よりパン食を推奨する風潮が高まり、全国の学校給食にパンと脱脂粉乳が出されるようになりました。パン食で育った子どもたちは、おとなになってもパンを食べ続けます。パンに合うおかずは、肉や乳製品や卵です。それらを生み出す家畜を飼うには、エサとなる大量のトウモロコシや大豆が必要です。

こうして日本は、アメリカから、小麦、肉、トウモロコシ、大豆などを買い続けなければならなくなったのです。

⑧ パン食の学校給食が始まった

ご飯の給食からパンへ

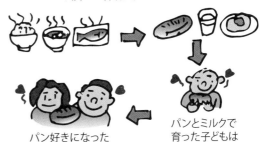

パンとミルクで
育った子どもは

パン好きになった

⑨ キッチンカーとフライパン運動

日本の主婦にフライパンで油を使う、洋食を普及させよう

大型バスの後部にキッチンを取り付けて、野外で料理指導のできる「キッチンカー」が製作され、1956年から全国を巡回して米食からパン食への栄養指導を繰り広げた

⑩ 反・米食のプロパガンダも展開

慶應義塾大学の 林 髞（はやし たかし）教授の書いた『頭脳 才能をひきだす処方箋』がベストセラーになる。米ばかり食べるとビタミンB1が欠乏し、脳の働きが悪くなると、パン食を推奨。のちにアメリカ穀物メジャーから研究費が出ていたことが判明

頭 脳
才能をひきだす処方箋
林 髞著

「1日1食はパンに、1日1食は洋食を」をスローガンに、日本人の和食の習慣を否定し、西洋食への「栄養改善運動」が繰り広げられた

⑪ プロパガンダは大成功

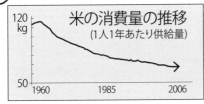

米の消費量の推移
（1人1年あたり供給量）

120kg

50
1960　　1985　　2006

米の消費量はドンドン下がり小麦の輸入量はグングン増えた

日本の小麦の輸入量の推移
（食糧庁資料参考）

6000千トン

3000

1000
1945　　1973　　2003

日本が農薬使用大国に、そして食品添加物大国になったわけ

ゆるい規制はアメリカのため？

新型コロナウイルスの流行のために延期となった東京オリンピック。この大会準備の過程で、日本にはひとつ心配なことがありました。それは日本の農薬の使用規制が極めてゆるいため、国際安全基準から、国産野菜が選手村の食事に使用できないことでした。欧米諸国では使用規制のあるグリホサートの残留基準を、日本政府は400倍も緩和。ネオニコチノイド系農薬の残留基準も、2000倍に引き上げています。農薬同様、日本の食品に使用される食品添加物も、国際的にも高い水準にあります。

農薬大国は、農業を工業の犠牲にした必然

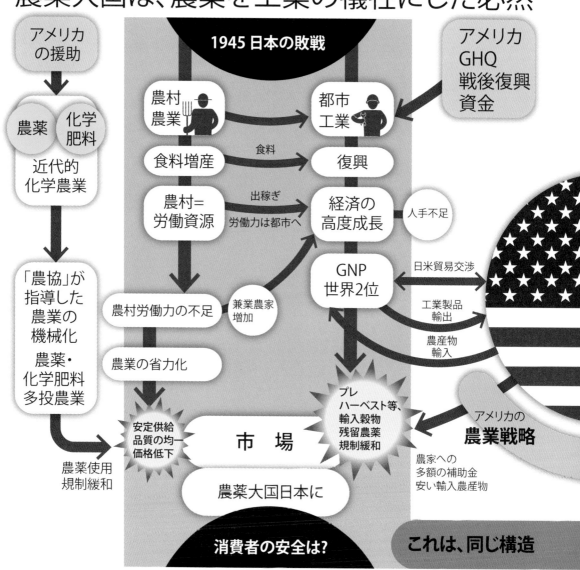

アメリカ
の援助

農薬　化学肥料
近代的
化学農業

「農協」が
指導した
農業の
機械化
農薬・
化学肥料
多投農業

農薬使用
規制緩和

1945 日本の敗戦

農村
農業　→　都市
工業

食料増産　食料　→　復興

農村＝
労働資源　出稼ぎ
労働力は都市へ　→　経済の
高度成長

農村労働力の不足　兼業農家
増加

農業の省力化

安定供給
品質の均一
価格低下

市　場

農薬大国日本に

プレ
ハーベスト等、
輸入穀物
残留農薬
規制緩和

消費者の安全は?

アメリカ
GHQ
戦後復興
資金

人手不足

GNP
世界2位　日米貿易交渉

工業製品
輸出

農産物
輸入

アメリカの
農業戦略

農家への
多額の補助金
安い輸入農産物

これは、同じ構造

なぜ日本は、これほど農薬や添加物まみれになったのでしょうか。下の２点の図解を見てください。左は、戦後70年間の日本の農業にまつわる大きな出来事を時系列で示したものです。右には、日本の食品産業にまつわる出来事が記されています。

この農業と食品産業の推移を見ると、いくつかの共通点に気がつきます。まず両者とも1945年の敗戦を機に、日本を占領したアメリカの援助によって歴史がリセットされたこと。第２に戦後復興のための工業化の洗礼を受けたことです。農村から都市の工場に働き手が移動し、農家は小規模な兼業農家となり、農業は農薬と化学肥料に依存。食品産業も、伝統的な製法から化学工業製の食品添加物に頼るようになります。

そして第３に、農作物も食品も、アメリカから大量に輸入しています。アメリカ産の農産物には残留農薬が、食品には添加物が含まれています。それを輸入するために、日本は規制をゆるめているのです。農業と食品産業は、同じ構造の中にあります。

食品添加物大国は、急激な食の洋風化から

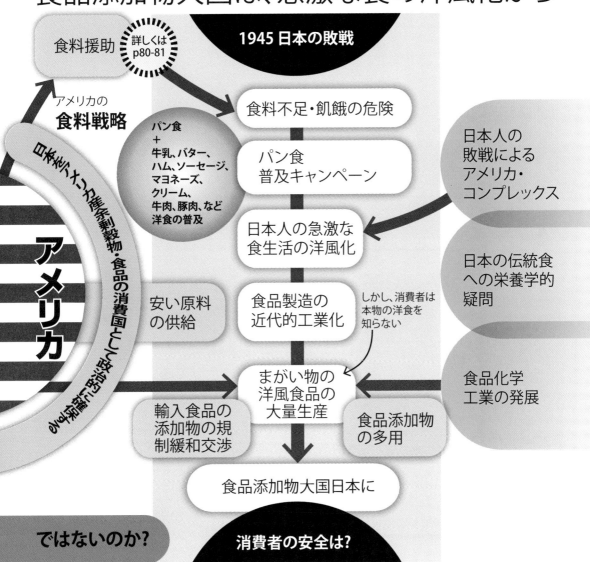

食料援助　詳しくはp80-81

1945 日本の敗戦

アメリカの**食料戦略**

アメリカ

日本がアメリカ産余剰穀物・食品の消費国として位置づけられる

食料不足・飢餓の危険

パン食
＋
牛乳、バター、ハム、ソーセージ、マヨネーズ、クリーム、牛肉、豚肉、など洋食の普及

パン食
普及キャンペーン

日本人の
敗戦による
アメリカ・
コンプレックス

日本人の急激な
食生活の洋風化

日本の伝統食
への栄養学的
疑問

安い原料
の供給

食品製造の
近代的工業化

しかし、消費者は
本物の洋食を
知らない

まがい物の
洋風食品の
大量生産

食品化学
工業の発展

輸入食品の
添加物の規
制緩和交渉

食品添加物
の多用

食品添加物大国日本に

ではないのか?

消費者の安全は?

日本政府の不可思議な政策変更
これは誰のため、何のため？

食の安全性が見えなくなる？

まず下の図を見てください。左はアメリカの非遺伝子組み換え食品とオーガニック食品の表示例。右は現在の日本の非遺伝子組み換え食品の表示です。アメリカは、世界最大の遺伝子組み換え農業王国です。生

産されるトウモロコシ、大豆の90％近くが遺伝子組み換え作物（GMO）です。農薬とGMOを使った加工食品に対する健康不安が、アメリカ市民の間に多くの消費者運動を生み、実現したのが現在の表示制度です。

一方、日本では現行の「遺伝子組換えでない」という表示が、法改正によって、

アメリカの場合 多様な表示が可能
遺伝子組み換え食品を拒否する消費者の運動によって、さまざまな組織が製品表示を行っている

日本の場合 表示ができなくなる？
2023年から、法改正によって「遺伝子組換えでない」「非遺伝子組換え」の表示が、実際上できなくなる

名　　称	充てん豆腐
原材料名	大豆（国産）（遺伝子組換えでない）、凝固剤

名　　称	スナック菓子
原材料名	コーン（遺伝子組換えでない）、植物油

名　　称	ポテトチップス
原材料名	じゃがいも（遺伝子組換えでない）、植

なぜ、日本では表示が → 法改正で、表示には遺伝子 → この証明は
できなくなるのか　　　組み換えがゼロであること　　現時点の技術で難しい

この食品群は、
すでに非表示でいい

表示義務のない食品	表示義務のある作物	表示義務のある食品
肉　卵　牛乳　チーズ　マーガリン　マヨネーズ　醤油　サラダ油　コーンシロップ　多糖体　甘味料　みりん　コーンフレーク　醸造酢　醸造用アルコール	トウモロコシ	コーン菓子　ポップコーン　コーン缶詰
	大豆	豆腐　油揚げ　納豆　豆乳　味噌
	じゃがいも	ポテトスナック
	菜種	
	綿実	
	テン菜	「遺伝子組換えでない」の表示が消える？
	アルファルファ	
	パパイヤ	

つまり、遺伝子組み換え食品が野放しになるってことか

消費者には選択する基準がなくなる

2023年から実質難しくなります。厳しく農地を管理しても、GMOの花粉は四散するため、これまでは5％までの混入は許容されていましたが、それがさらに厳しくなり、GMOの混入が限りなくゼロであることが求められるからです。まるで政府は、実行不可能な条件をつけて、非遺伝子組み換え表示を廃止しようとしているかのようです。

次に右のページを見てください。ここでも政府は不可解な動きをしています。「主要農作物種子法」の廃止です。

「種子法」は、日本政府が、戦争によって国民を飢えさせたことへの反省から、食の基本である稲の種もみの安価で安定的な供給と、品種の改良・維持を国の責任で行うことを定めた法律です。

その法律が、2018年に突然廃止されました。そして、稲の種もみ市場が解放され、外国企業の参入も可能となったのです。この突然の法改正には、農業関係者、消費者団体などの反対意見が沸き上がり、反対運動が組織されています。

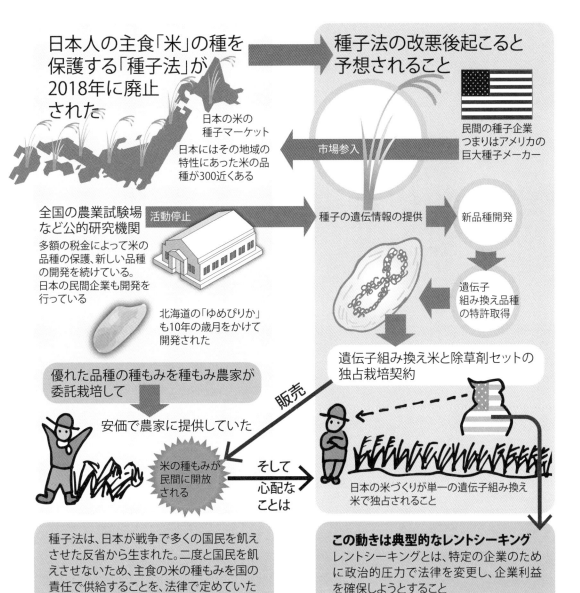

日本人の主食「米」の種を保護する「種子法」が2018年に廃止された

日本の米の種子マーケット
日本にはその地域の特性にあった米の品種が300近くある

種子法の改悪後起こると予想されること

民間の種子企業つまりはアメリカの巨大種子メーカー

市場参入

全国の農業試験場など公的研究機関
活動停止
多額の税金によって米の品種の保護、新しい品種の開発を続けている。日本の民間企業も開発を行っている

種子の遺伝情報の提供 → 新品種開発

北海道の「ゆめぴりか」も10年の歳月をかけて開発された

遺伝子組み換え品種の特許取得

優れた品種の種もみを種もみ農家が委託栽培して

安価で農家に提供していた

販売

遺伝子組み換え米と除草剤セットの独占栽培契約

米の種もみが民間に開放される

そして心配なことは

日本の米づくりが単一の遺伝子組み換え米で独占されること

種子法は、日本が戦争で多くの国民を飢えさせた反省から生まれた。二度と国民を飢えさせないため、主食の米の種もみを国の責任で供給することを、法律で定めていた

この動きは典型的なレントシーキング
レントシーキングとは、特定の企業のために政治的圧力で法律を変更し、企業利益を確保しようとすること

世界最大の農家の協同組合
「農協」の食と農村の未来は

日本の食の行方を握る農協

　戦前まで、日本の農地は少数の大地主に所有され、農村に暮らす農民は、地主に地代を払う小作農でした。日本の農村の貧しさは、江戸時代にまでさかのぼる、この農地支配の構造のなかにあったのです。

　この地主の農地は、敗戦後の日本を統治したGHQの外圧を利用し、当時の農林省官僚の悲願によって、農民に安価で払い下げられました。誕生した小規模自営農家420万戸によって、1948年に組織されたのが、「農協（農業協同組合）」です。その目的は、農家と農村を経済的に豊かにすることでし

1 日本に「農協」ができたわけ

1945年
敗戦

GHQの指導＋農林官僚の悲願

農地改革

戦前からの大地主から土地を買い取り、小作農に政府が安価に土地を払い下げた

420万戸の
自営農家が
誕生した

自作農　自作農　自作農　自作農

小さな貧しい農家は集まろう

共同で
資本と
交渉

団体
交渉

→　農薬メーカー
　　流通市場
　　農機具メーカー

協同組合にしよう!!

1948年
農業協同組合誕生

貧しい日本の農家の所得を増やし、農村を豊かにしよう

組合員のためのさまざまな協同事業を始めた

農協

設立当時のロゴマーク

共同購入事業
共同出荷事業
共同金融支援事業
共同保険事業

など多数

2 巨大金融グループの「農協」

信用事業
貯金残高
104兆**1148**億円
（2018年度）

組合員の預金を組合員に貸し出す目的でスタート。JAバンクの総称で、JA、JA信連、農林中央金庫で構成される金融サービス事業。しかし現在、農業関連事業への融資はわずか。非農業の准組合員向けローン、国際金融投資が中心

共済事業
総資産
58兆**1896**億円
貸付金
51兆**4250**億円
（2018年度）

組合員の相互扶助を目的に、生命保険、各種損害保険、車両保険業務を行う。このほかに交通事故対策、災害救援、復興支援、健康増進などの事業を展開している

経済事業
販売取り扱い額
4兆**5925**億円
（2018年度）

組合員の生産物の集荷・販売、農家への営農・生産資材の斡旋・販売、Aコープなどの生活関連事業などを展開。本業である生産者の農産物販売額は全体の6割強、米の販売は15%でしかない

農協職員数
約**20**万人
（2015年度）

組合員数
1,049万人
（2018年度）

設立から70年以上が経ち
巨大組織に成長した

た。その「農協」も、設立から70年以上が経過し、組合員1,000万人以上、保有資産104兆円の超巨大組織となり、農家の平均所得も国民平均を超えています。農家と農村はとっくに豊かになり、「農協」の役割はここで終わったといえます。

気がつけば、前ページまでで見てきたように、日本人はいま多くの食と健康に関する問題に直面しています。これらはそのまま「農協」の抱える問題でもあります。反発を恐れずにいうと、これらの問題は「農協」が日本人全体に背を向けた結果です。例えば農薬販売の利権のために農家を縛った結果が、農薬大国の日本です。農業を資本主義的功利主義から守るための協同組合が、最も資本主義的な組織となりました。

しかし、地球の気候変動の危機を生み出した資本主義を超えるために、人々は農村を基礎とした新しいコミュニティの姿を模索しています。この緊急課題に「農協」が応えられるか。「農協」が新たな目標をもつことができるかが問われています。

3 現在の「農協」の行動と矛盾

① 農の資本主義化の
セーフティーネットのはずが、
最も資本主義的活動をしている

● 主な利益は金融から得ている。
その規模はメガバンクをしのぐ

● 最大の農薬・化学肥料の独占的
販売組織となった

● その結果、日本人の食の安全に
背を向けてしまった

② 日本の食料自給率向上にも背を向けた

● 米価交渉を保守政党との
政治取引の材料とした
● 米価高値維持のための減反で、
水田を荒廃させてしまった
● 麦・大豆の転作が進まなかった

③ もう農家だけの「農協」ではない

組合員425万人　准組合員624万人

農業従事者以外の人々で、農協のサービス
(主として金融)を利用するために加入した。
しかし、組合の議決権はない

4 「農協」は新しい農村コミュニティの担い手となれるのか?

① 農家のための組織から、
国民のための組織になる

② 食料自給率100%の担い手となる

③ 日本人の食の安全の担い手となる

④ 新しい自立した経済圏としての
農村コミュニティの
主要プレーヤーとなれるか

詳しくは
p76-77

河川
森林
里山
バイオマス
発電所
小型水力発電所
太陽光発電所
水素燃料
発電所
牧草地・未耕地
耕作地
上下水
処理場
農業技術
研究所
図書館
食品開発
センター
スマート農業
管理センター
AIシステム
開発センター
行政
センター
劇場
コミュニティ
センター
AI圃場
管理センター
教育機関
コミュニティ
自動モバイル
管理センター
医療機関
コミュニティ
金融機関

食の安全と環境を守るために
いま私たちにできること

食べることを自分の手に取り戻す

　ここまで見てきたように、日本の食は、国全体で見れば、世界の流れに逆らうような諸問題を抱えています。しかし、国民1人1人の食に対する意識は、世界の人々と同じ方向を向き、健康と環境に配慮した食を求めています。私たちには、国の政策や巨大組織の体質を変えることはできなくても、自分の食生活を変えるという行動を起こすことはできるのではないでしょうか。

　例えば、食の安全や環境への負荷を考えながら食品を選んで買い、不安のあるものは買わない。これだけでも企業に意思表示

明日から私たちにできることは、たくさんある

きちんと選択して
購入する

食べて安心・安全なものを選ぶ
- 残留農薬に汚染されていない
- 危険な食品添加物を使用しない
- 遺伝子組み換えをしていない

環境への負荷が少ないものを選ぶ
輸入肉を避ける
- カーボンフットプリントを確認

動物福祉に配慮しているものを選ぶ

多頭飼育という虐待
苦しいよーお

地産地消を推進できるものを選ぶ

使い捨てプラスチック包装食品を避ける

問題のある商品は購入しない

購入することで、オーガニック農業・食品製造に努力する人々・企業を支える

販売不振の圧力

街のパン屋さん　街の豆腐屋さん
街の漬物屋さん　街の精肉屋さん

問題のある企業には直接意見を言う

企業は業績に影響すれば、改善する

をしたことになります。オーガニック食品、無添加食品、非遺伝子組み換え食品を選ぶ。なるだけ地元の食材や国産品を買う。動物や環境への負荷が高い肉類の消費を減らす。プラスチック包装を使わない商品を選ぶ、など、無理なくできることは、たくさんあります。安全性の高い食品は、比較的割高なものが多いのが現状ですが、買う人が増えれば、価格はもっと下がるはずです。

最近は、家庭菜園や食品の手づくりを始める人も増えています。食べ物を自分でつくることは、つくる楽しみと生産者の苦労を知ることでもあります。自分でつくったものは、無駄なく使うようになり、食品ロスを減らすことにもつながるでしょう。

新型コロナウイルスの世界的流行が続くなか、外出自粛や在宅勤務によって自宅で過ごす時間が増え、私たちは、いままで以上に毎日の食事や家族の健康と向き合うようになりました。こんなときこそ、「食べること」を見直し、自分たちの手に取り戻す好機なのではないでしょうか。

食べ物を自分でつくってみる
まずベランダの家庭菜園

保存食を自分でつくってみる

野菜の無農薬栽培に挑戦する

自分でつくった野菜で、楽しく料理をしてみる

畑を借りてちょっと本格的に野菜をつくる

食卓を飾って、みんなで楽しく食事する

地元の農家さんと友達になる

農業の現場の知識と、消費者の考えの交換

地元の食品加工業への素材の提供。小麦・大豆など

収穫作業の手伝い

食品ロスを最小限に減らす

ベランダや畑へ

コンポスト

おわりに
国連世界食糧計画の
ノーベル平和賞受賞が
私たちに問いかけること

　2020年度のノーベル平和賞は、国連世界食糧計画（WFP）に贈られました。世界の飢餓に苦しむ人々に対し、政治的混乱や経済的制約を乗り越え、人道主義に基づいて食料を届け続けてきた努力が賞賛されたのです。ノーベル財団が、いまこの時期にWFPの活動を顕彰したのは、世界がいま抱える食料問題に人々の関心を向けたい、という意図があったのでしょう。

　WFPのディビット・ビーズリー事務局長は、受賞の演説で「我々は食料が平和への道だと信じている」と語りました。人類は古来、たびたび飢餓や食料不足に襲われてきました。飢餓や食料不足は、例外なく社会不安と政治の混乱を招き、また逆に政治の混乱が飢餓を生んできました。例えば1959年に中国で約4,000万人もの餓死者を生んだ飢餓は、中国政府の農業政策の混乱のゆえでした。現在、南スーダンやエチオピアで発生している飢餓も、打ち続く政治的内戦が原因です。これらの出来事は「食料が平和の道」であることを訴えています。

　本書をお読みになった皆さんは、食べ物を通して人類が経験してきた出来事と、その現在への影響、そして新たな問題が生じていることをすでにご存知です。「生きるための食べ物」を「利益を生むための食べ物」へと変貌させた資本主義経済が、地球温暖化を招き、その結果として、地球規模の食料不足が予測されています。その影響は、弱い立場にいる人々を直撃するでしょう。

　そんな深刻な状況とは無縁のように、先進諸国では、AIとITを駆使して個人の健康をサポートするイノベーションや、AIによる自動調理器の開発も進んでいます。本書は、このような技術革新を否定するわけではありません。しかし、例えば南スーダンで飢えに苦しむ家族に、AI自動調理器が必要でしょうか。WFPは、南スーダンの家族と、先進諸国の家族が手を取り合うようにと訴えています。かといって、先進諸国の家族の食生活と同じものを、南スーダンの人々に提供することは現実的ではありません。WFPの訴えは、そのとき先進諸国の家族がすべきことは何か、という問いかけでもあるのではないでしょうか。

参 考 文 献

『世界　食事の歴史　先史から現代まで』（ポール・フリードマン編、東洋書林刊）

『食の500年史』（ジェフリー・M・ピルチャー著、NTT出版刊）

『食料の世界地図』（Erik Millstone,Tim Lang著　大賀圭治監訳、丸善刊）

『図解　食の歴史』（高平鳴海ほか著、新紀元社刊）

『食の歴史を世界地図から読む方法』（辻原康夫著、河出書房新社刊）

『モノの世界史』（宮崎正勝著、原書房刊）

『市民の考古学1　ごはんとパンの考古学』（藤本強著、同成社刊）

『食の人類史』（佐藤洋一郎著、中央公論新社刊）

『縄文農耕の世界　DNA分析で何がわかったか』（佐藤洋一郎著、PHP研究所刊）

『イネの文明　人類はいつ稲を手にしたか』（佐藤洋一郎著、PHP研究所刊）

『文明を変えた植物たち　コロンブスが遺した種子』（酒井伸雄著、NHK出版刊）

『パンの歴史』（ウィリアム・ルーベル著、原書房刊）

『コメの歴史』（レニー・マートン著、原書房刊）

『パスタと麺の歴史』（カンタ・シェルク著、原書房刊）

『麺の文化史』（石毛直道著、講談社刊）

『トマトの歴史』（クラリッサ・ハイマン著、原書房刊）

『お茶の歴史』（ヘレン・サベリ著、原書房刊）

『砂糖の歴史』（エリザベス・アボット著、河出書房新社刊）

『「塩」の世界史　歴史を動かした、小さな粒』（マーク・カーランスキー著、扶桑社刊）

『古代ギリシア・ローマの料理とレシピ』（アンドリュー・ドルビー、サリー・グレインジャー著、丸善刊）

『古代ローマの饗宴』（エウジェニア・S・P・リコッティ著、講談社刊）

『酔っぱらいの歴史』（マーク・フォーサイズ著、青土社刊）

『中華料理の文化史』（張競著、筑摩書房刊）

『メソアメリカを知るための58章』（井上幸孝編著、明石書店刊）

『世界の野菜を旅する』（玉村豊男著、講談社刊）

『マッキンゼーが読み解く食と農の未来』（アンドレ・アンドニアン、川西剛史、山田唯人著、日経BP日本経済新聞出版本部刊）

『フードテック革命　世界700兆円の新産業「食」の進化と再定義』（田中宏隆、岡田亜希子、瀬川明秀監、外村仁監修、日経BP刊）

『2030年のフード＆アグリテック　農と食の未来を変える世界の先進ビジネス70』（野村アグリプランニング＆アドバイザリー株式会社編、佐藤光泰・石井佑基著、同文舘出版刊）

『売り渡される食の安全』（山田正彦著、KADOKAWA刊）

『モンサント　世界の農業を支配する遺伝子組み換え企業』（マリー＝モニク・ロバン著、作品社刊）

『「アメリカ小麦戦略」と日本人の食生活』（鈴木猛夫著、藤原書店刊）

『人新世の「資本論」』（斎藤幸平著、集英社刊）

『「農」に還る時代　いま日本が選択すべき道』（小島慶三著、ダイヤモンド社刊）

『進化する里山資本主義』（藻谷浩介監修、Japan Times Satoyama推進コンソーシアム編、ジャパンタイムズ出版刊）

『農協解体』（山下一仁著、宝島社刊）

参 考 サ イ ト

農林水産省● https://www.maff.go.jp/
日本ユニセフ協会● https://www.unicef.or.jp/
世界銀行● https://www.worldbank.org/
FAO（国連食糧農業機関）● http://www.fao.org/
USDA（アメリカ農務省）● https://www.fas.usda.gov/
独立行政法人畜産業振興機構● https://www.alic.go.jp/
FiBL Statistics ● https://statistics.fibl.org/
Feeding America ● https://www.feedingamerica.org/
GMO-free Europe ● https://www.gmo-free-regions.org/
農業協同組合新聞● https://www.jacom.or.jp
環境脳神経科学情報センター● https://www.environmental-neuroscience.info
日本食糧新聞● https://news.nissyoku.co.jp
農研機構● http://www.naro.affrc.go.jp
日本消費者連盟● https://nishoren.net
JA東京中央会● https://www.tokyo-ja.or.jp
JAバンク● https://www.jabank.org

トウモロコシノセカイ● http://www.toumorokoshi.net/
百科知識中文網● https://www.easyatm.com.tw/wiki/ 彭頭山遺址
古代ローマライブラリー● https://anc-rome.info
Via della Gatta ● http://www.vdgatta.com
Atlas Obscura ● https://www.atlasobscura.com/
ANIMAL RIGHTS CENTER ● https://arcj.org
BUSINESS INSIDER ● https://www.businessinsider.jp
gooddo マガジン● https://gooddo.jp/magazine/
IN YOU journal ● https://macrobiotic-daisuki.jp
サルでもわかる遺伝子組み換え● http://gmo.luna-organic.org
植物性料理研究家協会● https://plant-origin.org
植物工場・農業ビジネスオンライン● http://innoplex.org
IOB Journal ● https://iob.bio/journal/
Think and Grow Ricci ● https://www.kaku-ichi.co.jp/media/
BEYOND MEAT ● https://www.beyondmeat.com
FRAMLAB ● https://www.framlab.com/glasir

索 引

インフォビジュアル研究所既刊

「図解でわかる」シリーズ　好評発売中

『図解でわかる
ホモ・サピエンスの秘密』

最新知見をもとにひも解く、おどろきの人類700万年史。この1冊を手に、謎だらけの人類700万年史をたどる、長い長い旅に出よう

定価(本体1200円+税)

『図解でわかる
14歳からの お金の説明書』

複雑怪奇なお金の正体がすきっとわかる図解集。この1冊でお金とうまく付き合うための知識を身につける

定価(本体1200円+税)

『図解でわかる
14歳から知っておきたい AI』

AI(人口知能)を、その誕生から未来まで、ロボット、思想、技術、人間社会との関わりなど、多面的にわかりやすく解説。AI入門書の決定版!

定価(本体1200円+税)

『図解でわかる
14歳からの 天皇と皇室入門』

いま改めて注目を浴びる天皇制。その歴史から政治的、文化的意味まで図解によってわかりやすく示した天皇・皇室入門の決定版!

定価(本体1200円+税)

『図解でわかる
14歳から知っておきたい 中国』

巨大国家「中国」を俯瞰する! 中国脅威論や崩壊論という視点を離れ、中国に住む人のいまとそこに至る歴史をわかりやすく図解!

定価(本体1200円+税)

『図解でわかる
14歳から知る 日本戦後政治史』

あのことって、こうだったのか! 図解で氷解する日本の戦後政治、そして日米「相互関係」の構造と歴史。選挙に初めて行く18歳にも必携本!

定価(本体1200円+税)

『図解でわかる
14歳から知る 影響と連鎖の全世界史』

歴史はいつも「繋がり」から見えてくる。「西洋/東洋」の枠を越えて体感する「世界史」のダイナミズムをこの1冊で!

定価(本体1200円+税)

『図解でわかる
14歳から知る 人類の脳科学、その現在と未来』

21世紀のいま、「脳」の探求はどこまで進んでいるのか? 人類による脳の発見から、分析、論争、可視化、そして機械をつなげるブレイン・マシン・インターフェイスとは? 脳研究の歴史と最先端がこの1冊に!

定価(本体1300円+税)

『図解でわかる
14歳からの 地政学』

シフトチェンジする旧大国、揺らぐEUと中東、そして動き出したアジアの時代。これからの世界で不可欠な「平和のための地政学的思考」の基礎から最前線までをこの1冊に!

定価(本体1500円+税)

SDGs を学ぶ　SUSTAINABLE DEVELOPMENT GOALS

『図解でわかる　14歳からの　プラスチックと環境問題』
海に流出したプラスチックごみ、矛盾だらけのリサイクル、世界で進むごみゼロ運動。使い捨て生活は、もうしたくない。その解決策の最前線
定価(本体1500円＋税)

関連するSDGs

『図解でわかる　14歳からの　水と環境問題』
SDGsの大切な課題、人類から切り離せない「水」のすべて。「水戦争の未来」を避けるための、基本知識と最新情報を豊富な図で解説
定価(本体1500円＋税)

『図解でわかる　14歳から知る　気候変動』
多発する水害から世界経済への影響まで、いま知っておきたい、気候変動が引き起こす12のこと。アフターコロナは未来への分岐点。生き延びる選択のために
定価(本体1500円＋税)

『図解でわかる　14歳から考える　資本主義』
資本主義が限界を迎えたいま、SDGsがめざす新しい社会のあり方を考える。
「どの木よりも分かりやすく"経済"を図解している」経済アナリスト・森永卓郎氏推薦！
定価(本体1500円＋税)

＊その他すべての目標に関連

著 インフォビジュアル研究所

2007年より代表の大嶋賢洋を中心に、編集、デザイン、CGスタッフにより活動を開始。ビジュアル・コンテンツを制作・出版。主な作品に、『イラスト図解 イスラム世界』（日東書院本社）、『超図解 一番わかりやすいキリスト教入門』（東洋経済新報社）、「図解でわかる」シリーズ『ホモ・サピエンスの秘密』『14歳からのお金の説明書』『14歳から知っておきたいAI』『14歳からの天皇と皇室入門』『14歳から知る人類の脳科学、その現在と未来』『14歳からの地政学』『14歳からのプラスチックと環境問題』『14歳からの水と環境問題』『14歳から知る気候変動』『14歳から考える資本主義』（いずれも太田出版）などがある。

大嶋賢洋の図解チャンネル
YouTube
　https://www.youtube.com/channel/UCHlqlNCSUiwz985o6KbAyqw
Twitter
　@oshimazukai

企画・構成・執筆	大嶋 賢洋
	豊田 菜穂子
イラスト・図版制作	高田 寛務
イラスト	二都呂 太郎
カバーデザイン・DTP	玉地 玲子
校正	鷗来堂

図解でわかる
14歳から知る 食べ物と人類の1万年史

2021年1月30日 初版第1刷発行
2023年8月20日 　　第3刷発行

著者　インフォビジュアル研究所

発行人　岡 聡
発行所　株式会社太田出版
〒160-8571 東京都新宿区愛住町22 第三山田ビル4階
Tel.03-3359-6262　Fax.03-3359-0040
http://www.ohtabooks.com
印刷・製本　中央精版印刷株式会社

ISBN978-4-7783-1738-6　C0030
©Infovisual laboratory 2021 Printed in Japan
定価はカバーに表示してあります。乱丁・落丁はお取替えいたします。
本書の一部あるいは全部を利用（コピー等）する際には、著作権法の例外を除き、著作権者の許諾が必要です。